CW00869135

Viele Menschen leiden unter Flugangst – ich auch.

Und dann war da auf einmal diese Einladung zu einer
griechischen Hochzeit im Geburtshaus der Braut, auf
einer Insel in Griechenland, von der ich bis dahin
noch nie etwas gehört hatte.
Und dann war da noch dieser Schwur, meiner Freundin gegenüber, niemals mehr freiwillig in ein Flugzeug einsteigen zu wollen.
Also mußte ich einen Weg zu finden, um ohne einen
Flieger von Deutschland nach Griechenland zu gelangen.

Daraus ergab sich eine abwechslungsreiche Reise,
die, die Frage nach dem Sinn oder dem Unsinn einer
Flugangst nicht wirklich klären konnte...

01 Einladung

„Helena wird im September heiraten", informierte mich Angela," wir haben eine Einladung von ihr bekommen!"

„Das ist schön, wenn sie heiratet, aber ich kenne keine Helena."

„Natürlich kennst du sie nicht – sie ist eine Arbeitskollegin von mir. Ich würde es dennoch sehr nett finden, wenn du mitkommst, sie hat einige unserer Mitarbeiter eingeladen."

Weder kannte ich Helena, noch einige der Mitarbeiter meiner Freundin. Angela arbeitete auswärts, auswärts bedeutete in diesem Fall, dass sie täglich 45 Kilometer zur Arbeit fuhr und abends wieder zurück nach Hause. Ich kam nicht oft in diese Richtung, also woher sollte ich die Leute dort kennen?

„Helena ist Griechin, und sie wird daheim in Griechenland heiraten!"

02 Erinnerungen an Korfu

Griechenland, Korfu, Landeanflug im letzten Jahr:

Ja, nur zu gut konnte ich mich daran erinnern, wie der Pilot damals die Maschine auf die Landebahn knallte, kaum dass sie Bodenkontakt hatte, in die Eisen stieg, um sie zu bremsen. Ich dachte schon, dass sie vorne die Nase noch einmal heben würde, um hinten mit dem Heck auf den Asphalt aufzuschlagen. Ich sah sie auseinanderbrechen oder aber am Stück im Meer versinken, das rasend schnell auf uns zukam. Mit beiden Händen krallte ich mich in die Armstützen der Boing und bremste mit meinen Beinen an der Rückseite des Sitzes meines Vordermanns so sehr, dass der mich ganz entgeistert ansah.

Zu meiner Beruhigung passierte nichts von alledem, was ich mir eingebildet hatte. „Kurze Landebahn", kommentierte Angela diesen Vorgang und machte sich zum Aussteigen bereit, während ich zusammengekauert im hintersten Eck meines ohnehin schon kleinen Sitzes saß und in meinem Schrecken und meiner Angst versank.

„Ok, ich hätte es dir sagen sollen, dass die Landebahn hier nicht sehr lang ist und daher die Landung ein wenig holperig vonstatten gehen könnte. Beim Rückflug wird es besser!" Sie kannte meine Flugangst und zog es vor, mich in Unkenntnis zu lassen. Einen Rückflug würde es für mich nicht geben, so schwor ich es mir nach dieser Scheißlandung!

03 Impressum

Bibliografische Information der Deutschen Nationalbibliothek: Die Deutsche Nationalbibliothek
verzeichnet diese Publikation in der Deutschen Natio-
nalbibliografie; detaillierte bibliografische Daten sind
im Internet über dnb.dnb.de abrufbar.

© 2016 Jürgen Bahro
Herstellung und Verlag
BoD - Books on Demand, Norderstedt

ISBN: 9 783 844 801842

Trotzdem bin ich natürlich wieder heim geflogen.
Der ganze Transfer wäre irgendwie viel zu umständlich gewesen, meinte Angela, und im Übrigen könnte ich ja ein paar Bierchen trinken, um entspannter zu werden.
Entspannen konnte ich mich nicht, denn irgendwie waren wir später dran, möglicherweise durch meine Verzögerungstaktik nicht mehr in ein Flugzeug steigen zu wollen. Die Zeit reichte nicht einmal mehr für ein einziges Bier vor dem Abflug und so lag meine ganze Hoffnung auf dem Bordservice in der Maschine.

Doch zunächst einmal wurde gestartet.

Der Pilot heizte die Maschine so sehr an, dass der gesamte Rumpf des Flugzeuges zu schwingen begann. Es schien, als würde er sie absichtlich zurückhalten, um alles aus den Triebwerken herauszuholen.
Dann ließ er los und es drückte mich dermaßen in meinen Sitz, dass ich das Gefühl hatte, meinem Hintermann auf dem Schoss zu sitzen. Irgendetwas schien mir einen Stich in den Rücken oder sonst wohin zu versetzen! Wie ein Pfeil schoss sie über die Landebahn und wurde sofort nach oben gerissen. Steil zog sie zum Himmel hinauf, so steil, dass ich die erste Sitzreihe über mir sehen konnte. Ich dachte ich wäre in einer Achterbahn.
Doch kaum etwas höher angekommen, riss er sie nach links, um uns nun endgültig das Gefühl des Fliegens im dreidimensionalen Raum zu geben.

„Leck mich doch am Arsch!" entfuhr es mir und ich bemerkte, dass auch andere Fluggäste, keinesfalls von dieser Showeinlage begeistert waren!

Jetzt konnte es nur noch heißen, so schnell wie möglich an ein Bier zu kommen, besser noch an einen Schnaps, den ich normalerweise verachtete. Aber um Magen und Nerven zu beruhigen, würde ich dieses Opfer, heute einmal, auf mich nehmen!

Etwas eigenartig erschien es mir, als der Servicewagen, ohne die Stewardess im Schlepptau, durch den Mittelgang des Flugzeuges an mir vorbei zog.

„Meine sehr verehrten Damen und Herren, leider müssen wir mit ein paar Turbulenzen rechnen. Daher ist im Moment keine Service möglich!", ver-suchte eine Stimme aus dem Bordlautsprecher, mir den eigenartigen Vor-gang zu erklären.

„Du bekommst schon noch dein Bier," wendete Angela ein, „er hat gesagt, dass im Moment kein Service möglich ist!" Doch sie sollte irren!

Der Moment dauerte die ganze Strecke zwischen Korfu und München. Die Turbulenzen schaukelten sich auf und selbst Angela musste zugeben, dass es ihr jetzt auch nicht mehr ganz wohl sei. Doch sie hatte Vertrauen in das Flugzeug und versuchte sich mit Lesen abzulenken.

Die Landung in München war traumhaft schön. Zum einen hatten wir wieder festen Boden unter den Füßen und zum anderen unterließ der Pilot irgendwelche Mätzchen, welche die allgemeine Anspannung noch aufheizen sollte.

In diesem Moment fiel mir irgendein Papst ein, der immer den Boden küsste, wenn er aus dem Flugzeug stieg. Die Medien versuchten uns klar zu machen, dass dies aus Ehrfurcht vor seinem Gastgeberland geschah, doch ich war mir sicher, dass auch er die Hosen voll hatte, wenn es ums Fliegen ging. Schließlich war er nur ein Papst und kein Engel!

Sei's drum: Ich übersprang diese Zeremonie und wollte nur noch an die Bar des Flughafens, um mich endlich zu beruhigen. Mit den Worte: "Ich brauche jetzt erst mal ein Bier!", war ich als erster aus der Maschine, im Hintergrund das Echo meiner Worte hörend: "Ich auch! Ich auch! Ich auch!"

Noch am selben Tag gab ich Angela mein Wort, nie wieder in ein Flugzeug zu steigen, um mir in Zukunft solche schreckliche Erlebnisse zu ersparen.

Seitdem war knapp ein Jahr vergangen.

„Helena wird im September heiraten, wir haben eine Einladung von ihr bekommen und ich würde es sehr nett finden, wenn du mitkommst!"

„Ja, verdammt noch mal! Ich kann mir sehr, sehr gut vorstellen, wie sehr, sehr nett du es finden würdest, wenn ich mitkäme!", wurde mir die Süffisanz ihrer Worte auf einen Schlag bewusst.

Jetzt war die Kacke am dampfen!

Wort- oder Ehe- (nein, es musste in meinem Fall Beziehungs-) Bruch (heißen), das war hier die Frage?

... doch vielleicht gab es ja noch etwas dazwischen?

04 Flugangst

Flugangst hatte ich nicht immer. Plötzlich, wie aus dem Nichts, war sie da.

Früher, als junger Kerl, Anfang zwanzig, war ich oft mit einem kleinen zweimotorigen Flugzeug von Leutkirch-Unterzeil nach Köln geflogen.

Damals genoss ich den knapp einstündigen Flug während der Morgenstunden. Die Wolken, die wie Wattepolster um uns herum lagen, gaben mir ein sicheres Gefühl. Sie schienen uns zu tragen und wenn der Sonnenaufgang sie durchbrach, und die kleine Maschine mit Licht füllte, konnte es dort oben nicht schöner sein. Hier war es so friedlich und das eintönige Geräusch des Flugzeugs strahlte eine gewisse Ruhe auf mich aus. Es war herrlich, im Landeanflug, durch die kleinen Fenster nach unten zu schauen, um die Landschaft zu betrachten. Wie ein silbernes Band zog sich dort der Rhein dahin und an seinen Ufern reihten sich mehr oder wenig große Städte.

Obwohl wir nur auf einer kleinen Landebahn am Rande des Flughafens herunter kamen, konnte ich die riesigen Passagierflugzeuge sehen, die ständig starteten und landeten. Ich war begeistert davon, wie es möglich war, diese riesigen Maschinen in die Luft und zum Fliegen zu bekommen.

Und plötzlich, Jahre später, in denen ich dann nicht mehr geflogen war, machten genau diese riesigen

Maschinen mir Angst. Ich bekam schon ein ungutes Gefühl, wenn sie in weiter Entfernung über mich hinweg flogen.

Es war schwer für mich zu verstehen, warum das nun so war. Ich hatte weder Angst in engen Räumen oder Aufzügen. Es machte mir nichts aus, Zug oder Bus zu fahren, selbst wenn diese total überfüllt waren.

Ich hatte einfach nur Angst davor, dass sie abstürzen könnten, und dass dann mein Leben zu Ende war. Hatte ich wirklich Angst vor dem Tod, oder nur davor meine Kinder alleine auf dieser Erde zurück zu lassen? Bisher habe ich es noch nicht heraus gefunden.

Selbst die Tatsache, dass das Fliegen die sicherste Art zu Reisen war, konnte mich nicht davon überzeugen, lieber mit dem Auto unterwegs zu sein. War es die Einbildung, sein Schicksal während einer Autofahrt selbst in der Hand zu halten? Oder einfach nur der Trugschluss, am Boden sicherer zu sein, als in der Luft? Zumindest hatte ich ein Gefühl der Sicherheit, wenn ich festen Boden unter den Füssen hatte.

Am Ende würde es mir noch passieren, dass ich am Boden zu Tode käme, erschlagen von einem abgestürzten Flugzeug...?

05 Erweiterung des Horizonts

Ganz abgesehen davon, ich reise nicht gerne. Mag es daran liegen, dass ich in einer Ecke von Deutschland lebe, von der andere sagen, dass man dort eigentlich nur Urlaub machen kann.Gut, auch hier bekommt man nichts geschenkt, aber das Leben scheint wesentlich entspannter abzulaufen, als in einer Großstadt mit Tausenden von Menschen auf engstem Raum.

Ausserdem lebe ich in einem kleinen überschaubaren Städtchen, wo alles so vertraut ist und man ständig Bekannte oder Freunde trifft, die einen zu einem Plausch auf der Straße oder in einem der Straßencafes einladen.
Man achtet und beachtet sich. Und wie selbstverständlich ist eine helfende Hand zur Stelle, wenn man sie braucht.
Ich liebe die Vertrautheit meiner kleinen Stadt im Allgäu und habe nicht das Bedürfnis zu verreisen. Ganz im Gegensatz zu meiner Freundin, die ständig unterwegs sein möchte. Immer will sie mir einreden, dass Reisen bilden und den Horizont erweitern.

Das glaube ich nicht. Vielmehr denke ich, dass es überall auf der Welt ähnlich zugeht wie bei uns, wenn man sich nicht gerade in den afrikanischen Dschungel oder in die großen Canyons von Amerika begibt und sich der Gefahr ausliefert, von einem Löwen oder einem Grizzly-Bären verspeist zu werden.

Überall auf der Welt geht es den Armen schlecht und den Reichen gut. Überall auf der Welt werden die Schwachen ausgebeutet und ausgenutzt. Überall auf der Welt verarschen Kapital und Regierung ihre Bürger und so weiter und so weiter.

Also für mich bilden Reisen nicht und den Horizont erweitern sie auch nicht, denn der ist überall gleich groß, nur dass man das an bestimmten Stellen auf dieser Welt etwas besser sieht, als an anderen.

Natürlich ist es schon etwas anderes, am Meer zu sitzen und dem schier unendlichen Horizont zu folgen, als daheim, am Baggersee zu sitzen und hinter den Büschen irgendwelchen Nudisten zu zusehen... manche darunter, die besser angezogen geblieben wären!

06 Gedankenspiele

„Wo müssen wir denn da hin, in Griechenland?"
„Korfu", gab sie mir zur Antwort.

Stille!

Ich glaube sie verstand meinen Blick nur zu gut, den
ich ihr zuwarf.

„Nein, nicht Korfu," das war nur ein Witz: „Wir
müssen auf die Insel Euböa, die ist noch ein wenig
weiter weg..." Sie schaute mich lächelnd an und verließ das Zimmer.
Eines Tages würde mich ihre Art Witze zu machen in
den Wahnsinn treiben, denn gedanklich fielen mir bei
dem Wort Korfu die Ereignisse aus Kapitel 2 wieder
ein und mein Schwur, nie wieder ein Flugzeug zu
betreten.
Nun galt es im Internet nachzuforschen, wo diese
Insel überhaupt lag und wie weit es dorthin war.
Google Maps errechnete knapp 2100 Kilometer auf
dem Landweg.
Bei dem Verbrauch meines Autos ergaben sich daraus
gut 350 Euro Benzinkosten für eine Strecke.
Zudem waren leicht und locker je 20 Stunden Fahrtzeit für An- und Heimreise zu erwarten, wenn das
überhaupt reichte? Außerdem müsste man so ver-
trauenserweckende Länder wie Slowenien, Bosnien,
Serbien und den Kosovo durchfahren.

Was mich spontan an Karl Mays Buch „Durchs wilde Kurdistan" erinnerte und mich veranlasste, den Gedanken, alleine mit dem Auto zu fahren, sofort fallen zu lassen.

Angela würde niemals einer solch langen Autofahrt zustimmen. Im übrigen stand für sie ohnehin fest, dass sie das Flugzeug nehmen würde. Also galt es weiterhin für mich, eine Reisemöglichkeit zu finden, die nichts mit dem Fliegen zu tun hatte.

Also noch einmal den Atlas aufgeschlagen: Griechenland – Land der tausend Inseln und selbst eine halbe davon. Was lag da näher, als eine Schiffsreise zu unternehmen?

Und wieder ins Internet, um nachzuforschen, auf wessen Spuren ich mich in das ferne Land begeben könnte.

Es gab mehrere Möglichkeiten, von Italien aus, Griechenland mit der Fähre zu erreichen. Die kürzeste Seeentfernung zwischen Italien und Griechenland lag zwischen Brindisi an der Ostküste Süditaliens und Igoumenitsa an der Westküste Griechenlands auf Höhe von Korfu.

Wenn Angela mit dem Flugzeug reisen wollte, galt es, sie in Athen vom Flughafen abzuholen, um gemeinsam auf die Insel Euböa zu fahren. Außerdem waren wir uns im Klaren darüber, dass wir in Griechenland einen Leihwagen nehmen müssten, um im Urlaub mobil zu sein.

Der Mietwagen wurde daher aus meiner Reisekalkulation gestrichen. Wir versuchten nur eine Möglichkeit zu finden, preiswert zu reisen. Angelas Flug würde ca. 250 Euro einfach kosten.

Aus dieser Überlegung heraus ergab sich eine Reiseroute, die sich quer, oder besser gesagt längs, durch Italien erstreckte; das Mittelmeer kreuzte und eine Südumfahrung von Griechenland beinhalten sollte – schlappe 2600 Kilometer nach Google Maps. Also auch nicht gerade eine Strecke, die man auf einer Arschbacke absitzen konnte.

Dennoch – die Flugangst war so groß, dass ich einmal eine andere Reisealternative ausprobieren wollte.

Von Isny im Allgäu aus, bis Brindisi zogen sich 1350 Kilometer über Stock und Stein, wobei für den Stein die Alpen eingesetzt werden sollten. Es würden sich wieder ca. 230 Euro Benzinkosten für die Fahrt nach Süditalien ergeben, dazu die Kosten für die Fähre nach Igoumenitsa von weiteren 200 Euro. Die alleinige Fahrt schreckte mich ebenso ab, wie die Strecke von 1600 Kilometern direkt bis Griechenland.

Das Ganze würde etwa gleich teuer sein wie Version 1: Anreise über das Festland „Durchs wilde Kurdistan" und annähernd gleich stressig!

Diese Version 2, meiner Reiseplanung, fühlte sich an wie „Attilas Alpenüberquerung" vor rund 1600 Jahren, nur dass ich sie alleine hätte bewältigen müssen. Und dennoch, sie hatte durchaus ihren Reiz.

Diesen Reiz bzw. einen Anreiz ganz anderer Art gaben uns einige Tage später Freunde. Sie berichteten, dass einige ihrer Familienangehörigen schon des öfteren mit einem Fernbus nach Süditalien gefahren wären. Diese Idee fand ich nun ganz spannend, zum einen weil ich die Italiener mochte, zum anderen weil ich dann nicht alleine auf Attilas Spuren wandeln würde.

Und so geschah es, dass wir uns auf den folgenden Reiseplan einigten:

Ich musste zwei Tage vor Angela meine Reise antreten, da sie mit dem Flugzeug ja wesentlich schneller war. Zunächst würde ich mit dem Bus von Isny nach Kempten fahren, dann von dort aus mit dem Zug nach München.
In München startete der Fernbus nach Brindisi. Von Brindisi aus konnte ich mit der Fähre, als Fußgänger, nach Igoumenitsa übersetzen, wo ich mir einen Leihwagen mietete.
Mit dem Leihwagen ging es Richtung Athen zum Flughafen, wo Angela landen würde, die zwei Tage nach mir, von Isny aus mit ihrem Auto in Richtung München gestartet war, um ihr Flugzeug zu erreichen. Das Auto würde an einem Park and Fly Parkplatz abgegeben.
Gemeinsam würden wir Richtung Nordgriechenland fahren, um in Arkitsa die Fähre auf die Insel Euböa zu nehmen, um dort letztendlich in Pefki, unserem Aufenthaltsort anzukommen.

Die Rückreise wollten wir so gestalten, dass wir zusammen am selben Tage in München eintrafen, um dann gemeinsam zurück nach Isny zu fahren.

Und das Tolle daran war, dass mich die Bus- und Fährfahrt gerade mal 210 Euro kosten sollte und ich ganz entspannt durch halb Europa chauffiert werden würde, ohne mich um irgendetwas anderes zu kümmern.

Also konnte „Jürgens Abenteuer" beginnen, wie ich es in Anlehnung an Karl May bzw. Attila, nannte.

07 Der Reiseplan

Angela fand es ebenso cool wie ihre Arbeitskollegen, die zukünftige Braut eingeschlossen, dass ich auf diese Art nach Griechenland reisen wollte.

Allerdings gab uns Helena noch einige Tipps, die wir unbedingt beherzigen sollten. Sie empfahl lieber die Fähre von Bari nach Patra zu nehmen, da die Autofahrt von Igoumenitsa nach Athen sehr anstrengend sei und die Autobahnen in Griechenland nicht unbedingt diesen Namen verdient hätten.

In jedem Fall sollte ich es vermeiden, mit dem Auto durch Athen zu fahren, da es schier unmöglich ist, dort durch zu kommen.

Und wir sollten auf keinen Fall im Süden vom Festland aus, über eine Art San Franzisko Brücke nach Euböa fahren, da die Hochzeit im Norden der Insel stattfand. Der Weg von Süden nach Norden führte auf abenteuerlichen Wegen durch eine Gebirgslandschaft, die sogar eine gewisse Schwindel-freiheit voraussetzte und in der Nacht geradezu lebensgefährlich zu befahren war. Die letzte Fähre, die im Norden zur Insel übersetzte, ging um 22:00 Uhr und fuhr stündlich. Was bedeutete, dass wir bei einer Ankunft nach 22:00 Uhr, eine Nacht im Auto verbringen müssten.

Ausgestattet mit soviel Insiderwissen, machte ich mich also ins Reisebüro auf, um die Reise fix zu machen.

Nach längerem Hin und Her stand schließlich die endgültige Route fest:

Hinreise:

26. August	Bus Isny ab:	14:05 Uhr
Dienstag	Bus Kempten an:	14:46 Uhr
	Bus Kempten ab:	15:16 Uhr
	Zug München an:	16:41 Uhr
	Bus München ab:	18:55 Uhr
	ZOB Hackerbrücke	
27.August	Bus Bari an:	11:00 Uhr
Mittwoch	Via Capruzzi 226	
	Fähre Bari ab:	20:00 Uhr
	Superfast Ferries	
	Last Check-In	16:00Uhr
28.August	Fähre Patra an:	13:00 Uhr
Donnerstag	Auto abholen	14:00 Uhr
	Flugzeug mit Angela an Bord	
	Athen an:	18:20 Uhr
	Letzte Fähre nach Euböa	22:00 Uhr

Rückreise:

12. September Freitag	Auto Patra abgeben:	13:00Uhr
	Fähre Patra ab:	18:00 Uhr
	Superfast Ferries	
	Last Check-In	14:00 Uhr

13. September Samstag	Fähre Bari an:	09:30 Uhr
	Bus Bari ab:	13:00 Uhr
	Via Capruzzi 226	

| 14. September Sonntag | Bus München an: | 07:00 Uhr |
| | ZOB Hackerbrücke | |

Warten auf Angela

Flugzeug mit Angela an Bord an:
München an   20:45 Uhr

gemeinsame Heimfahrt nach Isny

Nun galt es nur noch die paar Wochen durchzuhalten, bis es endlich losgehen konnte.

Je länger ich Zeit fand, um über mein Abenteuer nachzudenken, desto größer wurden die Zweifel in mir, das Richtige tun zu wollen. Was ging mich eigentlich die Hochzeit einer mir Unbekannten an und wieso sollte ich mir ihretwegen einen solch großen Stress aufladen?

Andererseits wurde der Drang in mir immer größer, das Abenteuer zu wagen, denn noch nie in meinem Leben war ich alleine verreist und schon gar nicht so weit weg von zuhause.

Traute ich mir diese Tour eigentlich zu?

Ich wollte es herausfinden und trat die Reise tatsächlich am 26. August, einem Dienstag, um 14:05 Uhr an – mit sehr viel Schiss in der Hose, wie ich, wenn auch ungern, zugeben musste.

In Isny nieselte es an diesem Nachmittag. Es war für August schon empfindlich kalt und so freute ich mich dann doch auf die warmen Tage, die uns hoffentlich in Griechenland bevorstanden.

Angela war bei der Arbeit, weil sie ja erst in zwei Tagen starten würde. Also gab es keine Abschiedsszene und ich musste ohne Abschiedskuss los – was für ein Jammer!

08 Isny - Kempten

Noch während ich an der Bushaltestelle, die sich genau gegenüber des Hauseingangs meiner Wohnung befand, wartete, erreichte mich eine sms von Alfons, der mir eine gute Reise wünschte. Er legte mir ans Herz gesund wieder heimzukehren, denn schließlich war man gespannt, wie es mir ergehen würde. Wochenlang hatten wir am Stammtisch darüber geredet. Das Hin und Wider einer Flugreise diskutiert und hundertmal davon gesprochen, dass das Fliegen die sicherste Reisemethode überhaupt war. Einige meinten, ich solle mich nicht so anstellen, denn schließlich würde der Flug nur knapp zwei Stunden dauern. Doch das war mir egal. Selbst wenn er nur eine halbe Stunde dauerte, das Flugzeug würde genauso hoch fliegen, wie bei einer längern Reise, sodass die Möglichkeit eines Absturzes selbst da noch gegeben war. Ich hatte mich entschlossen nie mehr ein Flugzeug zu betreten und damit basta!
Und ich war natürlich neugierig, wie sich die andere Art des Reisens anfühlen würde.
Außerdem schwärmten, vor allem die Mädels in unserer Runde von einer griechischen Hochzeit, die man sich keineswegs entgehen lassen sollte. Ich muss gestehen, dass ich darauf auch sehr neugierig war. Schließlich hatte ich schon zwei Ehen in den Sand gesetzt und dachte darüber nach, ob diese daran gescheitert waren, weil die Hochzeitsfeiern nicht sehr prunkvoll ausfielen.

Die erste feierte ich in einer kleinen Kneipe.

Das war so eine Art Hippie-Hochzeit mit lauter illustren Gästen.

Die zweite war eine Art Grillparty im Bierzelt, da meine zweite Frau, die zu diesem Zeitpunkt auch schon zwei mal verheiratet war, nicht sehr viel Wert auf Prunkvolles legte. Wahrscheinlich ahnte sie damals schon, dass ihre dritte Ehe auch nicht sehr lange halten sollte.

Der Bus hatte vier Minuten Verspätung und als er kam, stieg ich bewaffnet mit einem Trollykoffer und einem kleinem Rucksack ein. Die Busfahrt dauerte knapp 40 Minuten, an denen sich ca. 20 Minuten Aufenthalt in Kempten anschlossen.

Hauptsächlich nutzten Schüler die Fahrt, um nach dem Unterricht nach hause zu fahren. Sie schrien laut durcheinander und ich konnte mich kaum noch daran erinnern, wie ich damals vor fast 40 Jahren ebenfalls täglich mit dem Bus morgens zur Arbeit und abends wieder heim fuhr. Ich schwelgte in Gedanken an diese Zeit und bemerkte erst, als der Bus wieder vom Bahnhofsvorplatz wegfuhr, dass ich vergessen hatte auszusteigen.

„Stopp!", rief ich dem Fahrer zu: "Ich muss doch hier aussteigen!"

„Dann musst du aber den Knopf über dir drücken", rief er mir zu und hielt gut hundert Meter vom Bahnhof entfernt an.

„Wann war ich überhaupt das letzte Mal Bus gefahren?", ging es mir durch den Kopf: „Und musste man damals eigentlich auch schon den Knopf drücken?" Ich glaubte schon. Zumindest konnte ich mich jetzt ganz schwach daran erinnern.

Somit war die erste Etappe meines Abenteuers relativ schnell vorbei.

Die 20 Minuten Aufenthalt reichten in Kempten locker aus, um gemütlich noch einen Espresso zu trinken und um danach den Bahnsteig zu erreichen, obwohl ich ja zunächst die hundert Meter wieder hatte zurück laufen müssen.
Ich brachte mich so langsam in Urlaubsstimmung und machte mich mit dem Gedanken vertraut, dass ich mich nun auf einer großen Abenteuerreise befand, während der Zug nach München pünktlich in den Bahnhof einfuhr.

09 Kempten - München

Schon während des Wartens fiel mir ein junger Mann auf, der mir irgendwie merkwürdig erschien – es gibt ja so Typen, die man sofort in eine Schublade steckt. Der Zufall wollte es, dass ich mich zu ihm in das Abteil setzte. Das schien ihm nicht zu gefallen. Möglicherweise wollte er seine Ruhe haben, stand auf, warf mir einen bösen Blick zu und verschwand im Zuggang.

Bereits beim ersten Halt stieg er in Kaufbeuren aus und warf mir durch das Fenster abermals einen bösen Blick zu, um danach in der Menschenmenge unterzutauchen.

„Komischer Typ", ging es mir durch den Kopf, während der Zug mit dem Namen Alex, einen kleinen Ruck und sich wieder in Bewegung Richtung München machte.

Ich nahm meine Reiseunterlagen noch einmal her, um festzustellen, dass ich knapp zwei Stunden Aufenthalt in München haben würde, wenn Alex pünktlich dort eintraf. Dann legte ich meine Kopfhörer an und entspannte mich bei guter Musik.

Zu meinem Erstaunen trafen wir nach gut eineinhalb Stunden pünktlichst in München ein. Das wollte ich fast nicht glauben, da man von der deutschen Bundesbahn oftmals andere Dinge hört. Doch hier und heute war das nicht der Fall und so musste ich die vollen zwei Stunden Aufenthalt am Münchner Zentralen Omnibusbahnhof ausharren.

Zunächst einmal verstaute ich meinen Rucksack und meinen Koffer in ein Schließfach. Ich wollte sie nicht zwei Stunden lang mit mir herumschleppen. Das kostete mich satte fünf Euro! Zuviel, wie ich fand. Dann entdeckte ich eine Pizzeria im Busbahnhofsgebäude. Als ich eintrat, klärte man mich am Empfang darüber auf, dass hier Selbstbedienung war. Mir wurde eine Art Scheckkarte in die Hand gedrückt auf der alles, was ich im Laufe des Abends verzehrt hatte notiert. Beim Verlassen des Lokals wurde die Karte eingebucht und abgerechnet. Ich aß Spagetti, trank einen Orangensaft und beobachtete die Leute. Immer wieder legte ich die Kopfhörer an und die Zeit verging langsam, während ich Musik hörte und aus dem großen Panoramafenster des Restaurant Vapiano über die Dächer von München schaute.

Es ging auf neunzehn Uhr zu und so eilte ich zu den Schließfächern, um meine Koffer zu holen, während es begann dunkel zu werden. Ich erreichte zehn Minuten vor der Abfahrt des Fernbusses nach Bari die Haltestelle und reihte mich in die Schlange der Wartenden ein.

Es waren hauptsächlich Italiener, die, die Reise in ihre Heimat antraten und so konnte ich zum Teil rührende Abschiedsszenen beobachten. Man herzte sich: Küsschen hier, Küsschen da – Tränen, Lachen, aufgeregtes Hin und Her.

Immer wieder der Blick zur Uhr, wann der Bus denn

endlich eintreffen würde. Doch es kam kein Bus.

An dessen Stelle kam ein Mann aus der Zentralen-Omnibus-Bahnhofs-Aufsichtsbaracke zu uns herüber und stellte sich als Fernbuskoordinator vor. Er war für diesen Bahnhof zuständig und so fiel es auch in seinen Aufgabenbereich, uns mitzuteilen, dass der Bus nach Süditalien rund drei Stunden Verspätung haben würde.

„Oh!", hallte es in diesem Moment durch die überdachte Bushaltestellenhalle, das durfte jetzt aber nicht wahr sein!

Doch es war wirklich so. Es hatte einen Unfall bei Hagen gegeben und der Bus stand, ohne Chance dort heraus zu kommen, im Stau. Also mussten wir uns damit abfinden. Einige der Reisenden, die von ihren Freunden oder Verwandten zum Bahnhof gebracht wurden, fuhren mit diesen wieder heim. Andere mussten die drei Stunden ausharren und sich in Geduld üben.

Und ich?

Ich sah die Fähre in Bari vor meiner Nase auslaufen und damit unseren ganzen Reiseplan gefährdet. Für die Busfahrt dorthin waren sechszehn Stunden einkalkuliert. Der letzte Check-In auf die Fähre war laut meinen Reiseunterlagen um 16:00 Uhr am folgenden Tage.

Wenn der Bus nun drei Stunden später kam, würde er erst um 22:00 Uhr hier eintreffen. Dann würden Fahrgäste aussteigen, ihre Koffer suchen und all die Wartenden einsteigen , nachdem ihr Gepäck verstaut wäre.

Man konnte also damit rechnen, dass wir um 22:30 Uhr von München los fuhren. Also käme ich um ca. 14:30 Uhr in Bari an, was bedeutete, dass ich den letzten Check-In noch schaffen könnte. Ich hätte allerdings nur knapp eineinhalb Stunden Zeit, um von der Bushaltestelle zum Hafen zu gelangen und dort meine Reiseunterlagen für die Fähre zu besorgen.

Theoretisch also könnte das noch klappen. Aber der Fernbuskoordinator konnte mir nicht garantieren, dass dies auch der Fall sein würde.

Also machte ich mich auf, um im oberen Stockwerk, dort wo auch die Pizzeria war, im Reisecenter meiner Fernbuslinie nach zu fragen, ob sie für mich heraus finden könnten, ob ich auch noch später auf die Fähre einchecken könnte. Schließlich lief sie erst um 20:00 Uhr von Bari aus. Die freundliche Dame versuchte in Frankfurt jemanden von dem Fähre-Vermittler zu erreichen, doch dort hatte man schon Feierabend. Also gab sie mir die Telefonnummer, damit ich am nächsten Tage selbst da anrufen könnte.
Ich machte sie noch darauf aufmerksam, dass ich meine Koffer aus dem Schließfach geholt hatte, um abzureisen. Doch daraus wurde ja jetzt nichts. Zudem würde ich wieder in die Pizzeria gehen müssen, um dort ein bis zwei Bierchen zu trinken. Irgendwie musste ich die Wartezeit rumbringen. Die uneinkalkulierten Sonderausgaben hätte ich gerne von dem Busunternehmen erstattet bekommen.

Mit einem freundlichen Lächeln antwortete sie mir: "Es tut mir sehr leid, aber Entschädigungen werden erst ab vier Stunden Verspätung von unserer Gesellschaft gezahlt – Pech gehabt!"

„Ja, danke für dieses Gespräch. Und ihnen noch einen schönen Feierabend."

Die Sache erschien mir zu unsicher. Außerdem würde ich sicherlich nicht aus Italien mit meinem Prepaid-Handy in Frankfurt anrufen. Ich brauchte das Handy noch für Griechenland, wenn da irgendetwas schief gehen sollte.

Also rief ich Angela an, damit sie für mich in Frankfurt anrufen sollte. Sie konnte mich dann unterrichten, ob ich die Fähre noch nach dem Last Check-In betreten durfte.

Angela saß gerade an ihrem Stammtisch und ihr wurde bewusst, dass die gesamte Reise gefährdet war, wenn ich die Fähre nicht rechtzeitig erreichen würde. Von da an fieberte die gesamte Stammtischbesatzung mit mir mit, ob es wohl klappen würde!

Ich ging zurück in die Pizzeria und mir wurde wieder diese Scheckkarte in die Hand gedrückt, auf welcher alles, was ich zu mir nahm notiert wurde. Eine Einführung in die Gepflogenheiten des Restaurants bekam ich nicht mehr, da mich die Empfangsdame wieder erkannte: "Ah, sie waren heute doch schon einmal hier." „Ja, der Bus hat Verspätung."

Ich suchte mir eine ruhige Ecke, tank zunächst ein Wasser, dann ein Espresso, einen Orangensaft – scheiß drauf, jetzt bestelle ich ein Bier! Aus dem Bier wurden im Laufe des Abends vier und etliche sms unserer Stammtischbrüder trafen mit der Frage ein, ob ich denn nun endlich in diesem verdammten Bus säße?

Nein, ich saß immer noch in München in der Pizzeria beim vierten Bier.

Kurz vor 22:00 Uhr erhob ich mich, zahlte und ging zurück zur Bushalte-stelle, wo sich wieder alle Reisenden nach Italien eingefunden hatte. Man herzte sich: Küsschen hier, Küsschen da – Tränen, Lachen, aufgeregtes Hin und Her. Und immer wieder der Blick zur Uhr, wann der Bus denn nun endlich eintreffen würde.

Doch an dessen Stelle kam abermals, der uns bereits bekannte Mann, aus der Zentralen-Omnibus-Bahnhofs-Aufsichtsbaracke zu uns herüber. Dieses mal stellte er sich nicht mehr vor, denn wir wussten ja bereits, dass er der Fernbuskoordinator war.

Der Bus nach Süditalien hatte eine weitere Stunde Verspätung, wegen des zu hohen Verkehrsaufkommens, hatte er zu berichten.

Abermals hallte es „Oh!", durch die überdachte Bushaltestellenhalle.

Eine weitere Stunde bedeute für mich zunächst einmal, dass ich jetzt Anspruch auf eine Entschädigung hatte. Also begab ich mich wieder ein Stockwerk nach oben, um mir bei der freundlichen Dame von vorher die Schließfächer und die Biere bezahlen zu lassen. Doch die hatte schon Feierabend und das Büro war geschlossen. Wie sagte sie doch noch? – „Pech gehabt!" Eine weitere Stunde Verspätung bedeutete aber auch für mich, dass es nun verdammt eng wurde, die Fähre doch noch rechtzeitig zu erreichen.

Der Fernbuskoordinator bot den Reisenden Kaffee in seiner Zentralen-Omnibus-Bahnhofs-Aufsichtsbaracke an. Er war sich nun überhaupt nicht mehr sicher, dass wir es schaffen könnten. Also wartete ich eine weitere Stunde und lief auf dem Busbahnsteig ein wenig Hin und Her, als der Bus gegen 23:00 Uhr in den Bahnhof einfuhr.

Hinter mir konnte ich wilde Abschiedszenen beobachten. Man herzte sich: Küsschen hier, Küsschen da – Tränen, Lachen, aufgeregtes Hin und Her.

Doch dieses Mal wurden sie befreit. Der Bus war da und die Fahrt konnte losgehen.

Zu unser aller Entsetzen war er gerammelt voll.

Einige Fahrgäste stiegen aus, die Wartenden drängten hinein. Doch es war nicht so einfach einen freien Platz zu finden. Einige Reisenden schliefen und hatten ihre Koffer auf dem Nebensitz deponiert.

Der Busbegleiter, welcher sich später als zweiter Fahrer heraus stellte, begann die wenigen freien Plätze zu suchen, weckte hier und da ein paar Leute, damit die ihren Nebensitz frei machten. Am Ende waren alle Plätze besetzt und ich fühlte mich bereits jetzt, wie eine Ölsardine.

Bis alle anderen ausgestiegen und unsere Koffer im Bus verstaut waren verging fast noch einmal eine ganze Stunden. Irgendwie machte ich den beiden italienischen Fahrern, die weder deutsch noch englisch sprachen klar, dass in Bari eine Fähre auf mich wartete. Sie konnten mir auch nicht garantieren, dass sie dieses Ziel erreichen würden.

Ich entschied mich sozusagen auf Verdacht die 1200 Kilometer lange Reise nach Bari anzutreten. Das brachte nun wirklich richtig Spannung in „Jürgens Abenteuer".

Und so fuhr der Fernbus um 24:00 Uhr, mit nun insgesamt fünf Stunden Verspätung aus dem Münchner Zentralen-Omnibus-Bahnhof heraus, um 16 Stunden später, also genau zu meinem Last Check-In in Bari anzukommen! Und ein freundlicher Fernbuskoordinator winkte uns aus seiner Zentralen-Omnibus-Bahnhofs-Aufsichtsbaracke zu, in der er Kaffee kochte.

Und im Hintergrund schien noch ein gewisser Reinhard Mey „Über den Wolken" zu singen ...

Und was würde ich tun, wenn die Fähre wirklich ohne mich den Hafen verließ?

Unterdessen brach der zweite Tag meiner Reise an: Es war Mittwoch der 27. August.

10 München - Bari

Die Sitzplätze im Bus waren weder nummeriert, noch reserviert. Und so kam ich neben einem jungen Mann Anfang vierzig zu sitzen. Er nickte mit dem Kopf, als ich fragte, ob der Platz noch frei wäre. Dann wendete er sich ab, um zu schlafen. Er sah wirklich geschafft aus. Kein Wunder, war er doch die drei Stunden im Stau gestanden und hatte wohl schon einige Kilometer auf dem Buckel.

Ich merkte nun die Biere und versuchte ebenfalls zu schlafen, schließlich hatten wir schon Mitternacht und ich war bis jetzt zehn Stunden unterwegs.

Irgendwie wollte es mir jedoch nicht gelingen, eine gemütliche Stellung zu finden, in der ich einigermaßen gut schlafen konnte. Meinem Sitznachbarn erging es ähnlich und so fiel er im Schlaf auf meine Seite hinüber und kuschelte sich an meiner Schulter. Ich ließ ihn gewähren, war ich mir doch sicher, dass er diese Stellung nicht lange durchhalten würde. Und so war es dann auch.

Plötzlich fuhr ich hoch. Ich war mit meiner Stirn gegen die Rückenlehne des Vordermanns gestoßen. Also war ich doch irgendwie für ein paar Minuten eingenickt. Danach war es aber dann nichts mehr mit Schlafen.

Ich konnte es nicht so recht einordnen, ob der Busfahrer wegen meiner Fähre so einen heißen Reifen fuhr, oder ob das grundsätzlich bei Fernbussen so war. Er prügelte den Bus über die Autobahn, sodass ich nicht feststellen konnte, ob uns irgendein anderes Auto überholte.

Nach knapp zweieinhalb Stunden kündigte er eine Pause von zwanzig Minuten an. Soviel verstand ich noch mit meinen kleinen Brocken Italienisch, denn schließlich hatte ich vor Jahren einen zehnstündigen Volkshochschul-Kurs absolviert.

Alle Reisenden verließen den, bis zum letzten Platz besetzten Bus, um sich die Beine zu vertreten, oder um zur Toilette zu gehen. Danach pfiff der Busfahrer in seine Trillerpfeife, sodass auch der letzte verstand, dass es weiter ging. Der zweite Busfahrer zählte die Leute ab und gab das Zeichen zur Weiterfahrt.

Und so schoss unser Bus aus dem Rastplatz auf die Autobahn, wo er sich gleich wieder auf der linken Spur breit machte. Ich versuchte mich ein wenig abzulenken und dachte an die Einladungskarte von Helena. Sie hatte so einen Leopardenlook-Fimmel und so hatte Helena auch die Karte in diesem Stil gestaltet.

In einer Art Einladungsschrift erklärte sie die Bräuche einer griechischen Hochzeit und kündigte an, dass jeder zu tanzen hatte. Das war in Griechenland so üblich. Die Tanzschritte hatte sie auf der Rückseite des Heftchens abgebildet, sodass wir schon einmal üben konnten.

Es musste in der Tat eine schöne Hochzeit werden, wenn das alles, was hier beschrieben war, eintreffen würde.

Abermals knallte ich mit der Stirn gegen den Vordersitz und wunderte mich, dass ich wieder irgendwie eingeschlafen war.

Draußen konnte ich das Autobahnschild Brenner erblicken und die Luft, welche durch die Klimaanlage in den Bus strömte wurde empfindlich kalt.

Eine weitere Pause stand an und schon hielten wir auf einem Rastplatz kurz vor der italienischen Grenze.

Ich wollte einen Espresso trinken und reihte mich in die lange Schlange der Wartenden vor der Theke ein. Als ich endlich dran war, erklärte mir die Bedienung, dass ich mir zuerst an der Kasse einen Bon hätte holen sollen. Ohne Bon gab es keinen Kaffee. Einem Italiener hinter mir erging es genauso, was er mit einem „Leck mich doch am Arsch!" quittierte, natürlich auf italienisch.

Diese Ausdruckweise wurde damals natürlich nicht im Volkshochschul-Kurs gelehrt, aber ich verstand dennoch was er sagte. Also ging es für uns beide ohne einen Kaffee weiter.

Mein Nebensitzer war nun ebenfalls wach und wir wechselten ein paar Worte. Es stellte sich heraus, dass er Deutscher und mit einer Italienerin verheiratet war. Er lebte seit über fünfzehn Jahren in einem kleinen Nest in Süditalien und sprach verdammt gebrochen deutsch. Aber, das er das überhaupt tat, war von großem Vorteil, denn ab und zu übersetzte er mir einige Dinge, die der Fahrer von sich gab. Doch die meiste Zeit schlief er, in ganz komischen Stellungen – doch bei ihm klappte das irgendwie besser als bei mir.

Vorne wechselten die Fahrer die Plätze, was aber an der Fahrweise nicht viel änderte. Auch er gab Gummi, wie man so schön sagt. Die Autobahn war nun auch nicht mehr so befahren wie zuvor, sodass es zügig voran ging.

Wenn nichts mehr dazwischen käme, würden wir tatsächlich Bari am frühen Nachmittag erreichen. Nach nun sechs Stunden Fahrt erreichten wir Bologna, die nächste Haltestelle unserer Reise. Schon als der Bus durch die engen Kurven der italienischen Autobahnausfahrten pfiff, dachte ich, dass er demnächst aus der Spur kommen könnte – ich fühlte mich wie auf einem Kettenkarussell.

Und so raste er morgens um sechs, durch die Innenstadt von Bologna, dass die Heide wackelte, denn immer wenn er die Autobahn verließ, verloren wir kostbare Minuten. Nüchtern betrachtet ging die Fahrt rasch dahin, sodass damit gerechnet werden konnte, das die Strecke von München nach Bari innerhalb der von mir geschätzten 16 Stunden zu schaffen war. Gefühlt betrachtet, konnte es, in meinen Augen nichts schaden, wenn wir ein wenig zivilisierter unterwegs sein würden.

So rasten wir über Bologna, Rimini, Ancona, Pescara, Termoli und San Severo, auf Bari zu.

Alle zweieinhalb Stunden durch eine Rast unterbrochen, die ich mehr oder weniger erfolgreich bestritt, wenn es darum ging einen Kaffee zu ergattern.

An der Haltestelle in San Severo wurden wieder einige Fahrgäste raus gelassen – neue stiegen dazu.

Auch mein Nebensitzer verließ den Bus und mir
schien, als ob das kleine Nest in Süditalien doch
ein wenig größer war, als das er es mir weismachen
wollte. Hier merkte ich, dass er mehr Deutscher, denn
Italiener war. Denn bisher hatte ich, in meinem Leben,
noch keinen Italiener getroffen, der etwas verniedlichte.

Er verabschiedete sich kurz und machte mich darauf
aufmerksam, dass ich hier umsteigen müsste. Der
Bus fuhr weiter nach Brindisi, ohne in Bari zu halten.
Dafür gab es einen anderen.

„Na super toll!" dachte ich bei mir. Einer dieser Kamikazefahrer hätte mich doch auch darauf aufmerksam
machen können – doch sie taten es nicht.

Ich stieg also in den anderen Bus, der nur knapp
besetzt war und machte es mir im hinteren Teil
bequem, wo ich nun endlich meine Füße etwas ausstrecken konnte. Ein paar andere Fahrgäste taten es
mir gleich, was dem neuen Busfahrer nicht zu gefallen
schien. Er forderte uns auf, im vorderen Bereich des
Busse Platz zu nehmen. Dann diskutierte er mit den
Fahrgästen etwas, was ich nicht verstand.

Ich entschuldigte mich bei der Frau, die eine Reihe
vor mir saß und die ich vom Sehen her vom Zentralen-Omnibus-Bahnhof in München kannte. Ich nahm
an, dass sie deutsch sprach, da sie ja aus Deutschland
kam und bat sie mir das Besprochene zu übersetzen.
Doch sie schaute mich nur ganz komisch an und
sagte auf italienisch, dass sie Italienerin sei und kein
deutsch sprach! Du blöde italienische Kuh dachte

ich bei mir – ich habe dich doch in München deutsch reden gehört! Aber meine Frage erübrigte sich nach knapp zehnminütiger Fahrt, denn der Bus scherte am nächsten Rastplatz aus und es gab erneut eine Pause.

Ich nutzte die Gelegenheit, um dem Fahrer nach einer Möglichkeit zu fragen, wie ich in Bari von der Bushaltestelle zum Hafen käme. Natürlich verstand er zunächst nichts, da ich ihn auf englisch ansprach. Irgendwie gab er mir zu verstehen, dass ich es auf italienisch versuchen sollte. Also legte ich, in Erinnerung an meinen Volkshochschul-Kurs, los: „Autobus stazione in Bari via Porto distanza longo?"
Was frei übersetzt so viel hieß wie: "Von Autobusstation in Bari nach Hafen wie groß die Entfernung?"
Er verstand mich ausgezeichnet und erklärte mir, dass es einen Linienbus zum Hafen gab und er mir die Haltestelle zeigen würde, sobald wir angekommen waren. Das hatte ich, , auf jeden Fall, so verstanden.
Außerdem schlug er vor, die anderen Fahrgäste zu fragen, ob einer unter ihnen wäre, der deutsch sprach.
Ich erinnerte mich an die italienische Kuh von vorher und wehrte ab. Ich hatte ja alles verstanden, was er sagte und antwortete ihm: "No grazie, capito!"
Es kehrten die anderen Fahrgäste zurück und die Fahrt ging weiter.
Was ich lange nicht für möglich gehalten hatte, traf dann doch noch ein!
Wir erreichten Bari um 15:20 Uhr. Ich hatte also noch 40 Minuten Zeit bis zum Last-Check-In auf die Fähre.

Mit mir stiegen alle Fahrgäste aus, da die Reise für diesen Fernbus hier endete.

Typisch Italiener, dachte ich mir, als der Busfahrer sich vor zwei jungen Damen aufplusterte und ihnen breit und lang etwas wegen der Rückfahrt erklärte. Dann suchte er ihr Gepäck aus der untern Klappe des Busses und erzählte und erzählte und erzählte...

„Alora, signore!", wandte er sich nun endlich an mich. Dort drüben ist die Bushaltestelle zum Hafen, deutete er mir, als wir um den Bus herum traten. Sie lag genau auf der gegenüberliegenden Straßenseite und der Bus, den ich nehmen sollte, sah genauso aus wie der, dessen Rücklichter wir noch sahen, als er aus der Bushaltestelle ausscherte und ohne mich, Richtung Hafen fuhr.

„Ja leck mich doch am Arsch!" entfuhr es mir auf Italienisch, was meinen Busfahrer bewog, sich in seinen Bus zu setzen, um auf und davon zu fahren. Ich wechselte die Straßenseite. 15:25 Uhr Abfahrt zum Hafen stand da zu lesen. Meine Uhr zeigte 15:26 Uhr. Der nächste Bus ging erst um 15:59 Uhr, also zeitgleich mit meinem Last-Check-In.

Da stand ich nun, mit meinem Rucksack und dem Koffer, in der brütenden Hitze in der Innenstadt von Bari, als ich eine Stimme hörte, die mir entgegen schrie. Es dauerte einen Moment, bis ich den halben Kopf eines Mannes, der hinter seinem Auto stand, auf der gegenüberliegenden Straßenseite entdeckte.

„Tazzi, Tazzi!" brüllte er die ganze Zeit.

Ja Taxi, das war die Lösung. Sofort wendete er seinen

Wagen und stand auch schon neben mir, mit meinem Koffer in seiner Hand, den er flink in den Kofferraum seines Wagens verstaute. Er konnte ein wenig englisch und kannte sich wohl aus, mit Leuten, die ratlos an Bushaltestellen in der Innenstadt von Bari herum standen. Sofort wollte er wissen, welche Fähre ich erreichen musste und gab Gas.

Das Taxi hielt direkt vor dem Terminal meiner Fährgesellschaft. Für die knapp siebenminütige Fahrt kassierte er zwanzig Euro, wünschte mir eine gute Reise und fuhr auch schon wieder davon. „Gut", dachte ich, „dann kann ich ja doch noch rechtzeitig vor vier Uhr einchecken."

Ich trat an den Schalter, löste meine Bordkarte und bekam meinen Kabinenschlüssel in Form einer Scheckkarte und die Auskunft, dass es erst ab 18:00 Uhr möglich sei, auf die Fähre zu gehen. Also musste ich wieder zwei Stunden warten, bis es weiterging. „Na supertoll", ging es durch mein Hirn: „Der ganze Stress umsonst. – Und, andere Länder, andere Sitten!" Da hätte ich auch den nächsten Linienbus nehmen können...

11 Bari - Patra

Der Terminal hatte Ähnlichkeit mit einem Flugha-
fen. Es gab verschiedene Schalter der Reiseanbieter.
Ich setzte mich in die Halle und kramte ein wenig in
meinem Rucksack. Es fand sich noch ein Schoko-
riegel und etwas zum Trinken. Ich beobachtete die
Leute und hatte Mühe, dass mir die Augen vor lauter
Müdigkeit nicht zufielen. Das wäre ja jetzt noch was
gewesen, wenn ich die Abfahrt der Fähre verschlafen
würde.
Die Halle füllte sich nach und nach. Es ging auf 17:00
Uhr zu und die Reisenden verließen das Terminal.
Der riesige Platz, an dem die Schiffe angelegt hatten
war mit einem hohen Zaun umgeben. Wir mussten ein
paar Meter laufen, bis wir die kleine Türe im Zaun
erreichten, durch die es in das Check-In Häuschen
ging.
Ich stand nun in der langen Schlange der Wartenden
und hoffte, dass es endlich weiter ging. Doch die
schwer bewaffneten Sicherheitskräfte ließen sich Zeit.
Einige stolzierten den Zaun entlang und machten sich
wichtig. Dann fingen sie an die Reisenden zu kontrol-
lieren. Das Prozedere war das selbe wie am Flughafen: Körperkontrolle, Koffer auf das Fließband zum
Durchleuchten legen, Ausweiskontrolle und so weiter
und so weiter.
Jetzt mussten wir nur noch die zweihundert Meter
Fußmarsch, durch die brütende Hitze Baris, hinter uns
bringen und konnten auf das Schiff. Ein leicht mul-

miges Gefühl beschlich mich: Flugangst hin oder her, aber ist das hier besser? – Ich hatte keine Ahnung.

Da lag sie nun, diese riesige Fähre, die alles zu verschlingen schien: Fußgänger, Rad- und Motorradfahrer, PKWs, Busse und LKWs in ungeahnter Anzahl. Wir wurden einer letzten Fahrkartenkontrolle unterzogen und angewiesen, an der Seite der Fähre in einen Gang zu gehen. Der war unendlich lang und wir mussten zwei Rolltreppen hinauf, um an die Rezeption des Schiffes zu gelangen.
Da ich zu den Fahrgästen mit einem Kabinenplatz gehörte, wurde mir ein Stewart zugewiesen, der sich sofort meinen Koffer schnappte und in Windeseile davon lief, dass ich Mühe hatte, ihm zu folgen. Irgendwo hatte ich gehört, dass sich die Gänge auf Passagierschiffen alle ähnlich sähen. Also bemühte ich mich meinem Koffer zu folgen und mir zugleich den Weg zu merken. Kabine 6025 war unser Ziel. Schnell öffnete er sie und schob meinen Koffer hinein.
Die Kabine war vornehm und sauber eingerichtet, ca. 3 Meter lang und 2 Meter breit. Die Betten mochten die Maße 70 auf 190 cm gehabt haben. Es stand auf jeder Seite der Kabine ein Bett, getrennt durch einen schmalen Gang, in dem nun der Stewart und mein Koffer standen. In den Wänden darüber waren zwei weitere Betten angebracht, die man ausklappen

konnte, sodass insgesamt vier Betten auf engsten
Raum zur Verfügung standen. Auf dem rechten unte-
ren Bett lag ein Pullover, der irgendwelche Besitzan-
sprüche zu markieren schien.

„This is your bed!", wies er mir das linke Bett mit
dem Buchstaben A zu, genau wie es auf meiner Fahrkarte stand.

Dann quetschte er sich durch den schmalen Gang
an mir vorbei und kam mir so nahe, dass ich seine
Schnapsfahne riechen konnte. Noch bevor ich daran
dachte, ihm ein Trinkgeld zu geben, war er auch schon
wieder in den Gängen verschwunden.

Zu meiner Überraschung fiel mir erst jetzt die kleine
Toilette nebst Dusche links vom Kabinengang auf.
Da ich noch alleine in der Kabine war, nahm ich die
Gelegenheit sofort wahr, um eine Dusche zu nehmen.
Von der nächtlichen Busfahrt war ich sehr geschafft,
verschwitzt und stank wie ein Bock. Es war eine
richtige Wohltat sich mit dem dünnen Wasserstrahl
zu reinigen, obwohl es kaum Platz gab, sich in der
Dusche zu drehen.

Von den anderen Mitbewohnern war immer noch
nichts zu sehen. Vielleicht hatte ich ja Glück und blieb
in der Kabine alleine, dachte ich kurz. Doch dann fiel
mein Blick auf den Pullover, sodass ich diesen Gedanken gleich wieder verwarf.

Inzwischen war es halb sieben geworden, also noch
eineinhalb Stunden bis zum Auslaufen der Fähre.
Frisch geduscht und überglücklich, dass ich die Fähre
noch erreicht hatte, lud ich mich auf ein Bier im Spei-

sesaal des Schiffes ein. Prunkvoll war dieser Raum
ausgestattet. An den Wänden hingen große Spiegel,
die den Raum noch größer wirken ließen. Überall
sonst war mahagonifarbiges Holz und silberne Kron-
leuchter hingen von der Decke. Irgendwie kam es mir
vor, als ob ich auf einem Luxusdampfer wäre.
Dementsprechend teuer war auch das Bier – ich zahlte
fünf Euro für weniger als einen halben Liter. Dann
erinnerte ich mich an die Essensreste in meinem
Rucksack und machte die Vorräte leer.
Eine sms in die Heimat trug auch dort zur Entspannung bei, hatten doch alle Stammtischbrüder und
–schwestern mitgefiebert, ob ich die Fähre noch rechtzeitig erreichen würde.
Ein weiteres Bier steigerte meine ohnehin schon
gute Laune. Ich fand einen Platz auf dem Deck und
beobachtete, wie verdammt viele Busse und Lastwagen verladen wurden. Über Lautsprecher an Bord,
wurden immer wieder Durchsagen gemacht, die auf
das Verhalten in Notfällen aufmerksam machten. Etwa
um 19:30 Uhr wurden die Besucher aufgefordert die
Fähre zu verlassen, da sie bald auslaufen würde.
Ich blieb noch an Deck und wartete bis sich der riesige Koloss in Bewegung setzte. Das Meer war ruhig
und ich konnte das eintönige Geräusch der Motoren
hören, die das Schiff antrieben. Irgendwie machte
mich das unruhig, da es nicht meiner Herzfrequenz
entsprach und somit für Disharmonie bei mir sorgte.
Dennoch, das wahnsinnige Farbenspiel der einbre-
chenden Dunkelheit über Bari war faszinierend und

lenkte mich ein wenig ab. Ich machte noch ein paar Fotos, bis ein stark aufkommender Wind, die drückende Schwüle durchbrach und es ungemütlich kalt an Deck werden ließ.

Ich zögerte kurz: Sollte ich nun gleich in die Koje gehen, oder noch ein drittes teures Bier trinken? Obwohl ich von der Busreise total geschafft war, entschied ich mich, noch ein wenig ins Casino zu gehen, um die Angestellten und anderen Fahrgäste zu beobachten. Es herrschte eine etwas eigenartige Stimmung hier. Zum einen sah ich einige ältere Damen, die im Abendkleid ihren Schmuck zur Schau stellten. Ein älterer Herr rauschte durch den Saal, eine sehr viel jüngere Frau im Schlepptau. Es ging mir durch den Kopf, was sie wohl an ihm fand.

Der kurze Gedanke, dass sie lieber mit mir den Abend verbringen könnte, wurde jäh durch einen anderen gestoppt, der mir bewusst machte, dass ich ja auch schon ein alter Sack war.

Also hatte sie wohl doch die bessere Wahl getroffen, denn er roch förmlich nach Geld, was man von mir noch nie behaupten konnte.

Gegen 21:30 Uhr ließ ich es dann gut sein und machte mich auf den Weg in meine Kabine. Nach einem kleinen, ungewollten Rundgang, fand ich sie dann schließlich doch noch.

Das Bett über mir, mit dem Buchstaben C, war belegt. Als ich noch einmal auf die Toilette ging, konnte ich im Schein des Lichts erkennen, dass ein Schwarzer darin lag.

Ich vermutete, das er Moslem war, denn er hatte einen Kassettenrecorder laufen, aus dem seltsame Geräusche kamen: „Mach mach hall.. pla, pla, muche da haba," oder so ähnlich. Vielleicht hatte er Angst vor der Schiffsreise und ließ sich den Koran vorlesen.

Ich hatte keine Ahnung – es konnte auch sein, dass es irgendein Muezzin war, der das Abendgebet von sich ließ.

Auf jeden Fall machte er keine Anstalt, das Ding abzuschalten oder über Kopfhörer weiter zu hören. Ich konnte in der Dunkelheit auch keinen Stecker finden, den ich hätte heraus ziehen können.

Das Bett mit dem Buchstaben B blieb die ganze Nacht leer, obwohl der Pullover dort immer noch lag. Darüber im Buchstaben D drehte sich ein älterer Herr ständig hin und her, um in den Schlaf zu kommen.

Fast schlimmer noch als das Geplärre aus dem Kassettenrecorder war das Geräusch der Lüftung, welches ich der Toilette zuordnete. Aber selbst nachdem ich alles dort ausgeschaltet hatte, lief es unverändert weiter! Ich drückte mir das Kopfkissen über den Kopf und war auch sofort eingeschlafen, denn die anstrengende Busfahrt und die teuren Biere hingen mir in den Gliedern.

Derweil rückte der dritte Tag meiner Reise unbemerkt heran. Es wurde Donnerstag, der 28. August, als wir uns auf hoher See befanden!

Urplötzlich wachte ich in der Nacht auf und wusste zunächst nicht, wo ich mich befand.

Dann hatte ich das Gefühl, dass ich irgendwo im

Orient war. Der Muezzin schien immer noch über mir in seinem Zwiebelturm zu sitzen und das Morgengebet zu predigen. Der Schwarze war eingeschlafen und schnarchte, dass sich die Bootsplanken bogen.

Auch der ältere Herr hatte inzwischen ein wenig Schlaf gefunden und schnarchte etwas leiser vor sich hin. Das Bett B war immer noch leer.

Ich drehte mich von einer Seite zur anderen, um weiter zu schlafen. Erst jetzt bemerkte ich das sanfte, unterschwellige Auf und Ab des Schiffes. Irgendwie schien mein Magen dagegen zu rebellieren, sodass mir leicht übel wurde. Doch ich war viel zu müde, um auf die Übelkeit einzugehen. Noch bevor sie Überhand nahm, schlief ich wieder ein.

Ein paar Schlafstunden später bemerkte ich, wie der Schwarze dem Älteren die Leiter hinüber reichte, damit dieser aus der Koje kam. Doch der tat sich schwer von dort oben herunter zu kommen. Auf dem Bauch liegend, rückwärts robbend, versuchte er Tritt auf der Leiter zu finden um sich dann mühsam über die Bettkante nach unten gleiten zu lassen.

Angesichts dieses Szenariums fiel mir unsere letzte Bergtour ein. Im Bettenlager der Berghütte fand ich damals auch nur noch einen Schlafplatz in den oberen Betten. Und auch ich robbte dort auf dem Bauch liegend in Richtung Leiter, um irgendwie nach unten zu gelangen – es war halt einfach Scheiße, alt zu werden!

Auf dem Display meines Handys sah ich, dass es 8:30 Uhr war und ich fand, dass mir noch eine Stunde Schlaf gut tun würde, denn wir sollten ja erst gegen

13:00 Uhr Patra in Griechenland erreichen.
Oben hatte der Schwarze die Decke über den Kopf
gezogen und den Muezzin zum Schweigen gebracht,
sodass es auch mir leicht fiel, weiter zu schlafen.
Um halb zehn stand ich auf, um mir das offene Meer
anzuschauen. Doch zu meiner Überraschung fuhren
wir schon an der griechischen Küste entlang. Sie war
zu Greifen nahe und ich merkte, wie sich eine gewisse
Ruhe in mir breit machte. Sollten nun doch noch
etwas mit dem Schiff passieren, so könnte ich hinüber
an Land schwimmen, das traute ich mir noch zu.

Also ging ich ins Casino um zu Frühstücken. Eigentlich war es nicht das Casino, sondern der Speisesaal.
Das eigentliche Casino bestand aus ein paar Spielau-
tomaten, an denen man sein Geld verlieren konnte.
Damit man es fand, war an der Eingangstür ein großes
Schild angebracht. Ich hatte zunächst nicht bemerkt,
dass sich das Schild auf den kleinen Nebenraum
bezog. Ich dachte, dass der Speisesaal so hieß, weil er
recht imposant eingerichtet war. Außerdem fand ich
es cooler davon zu reden, dass ich im Casino saß und
dort frühstückte.
Es gab einen wirklich ausgezeichneten Cappuccino
für 3,80 Euro. Dazu nahm ich ein Sandwich mit Käse
und Schinken. Danach gönnte ich mir einen weiteren
Cappuccino und suchte mir an Deck eine windge-
schützte Stelle.
Obwohl es ziemlich stürmisch war, blieb das Meer
ruhig und das eintönige Geräusch der Motoren ließ

mich nun in einen tiefen Zustand von Gelassen- und Zufriedenheit fallen.

Entschleunigung – ging es mir durch den Kopf und die türkis bis dunkelblaue Farbe des Meerwassers beruhigte mich zusätzlich.

So entspannt schien ich schon lange nicht mehr gewesen zu sein. Es machte mir gar nichts aus, ein Flugzeug, welches in der Ferne am Himmel kreuzte, zu beobachten. An manchen Tagen erzeugte dieser Anblick eine kleine Panik in mir, obwohl ich nicht darin saß

Dabei fiel mir Angela ein, die in diesem Augenblick wohl knapp 2000 Kilometer von hier entfernt, starten musste, um ihren Flieger in München zu bekommen. Ich schrieb ihr eine sms, in der ich ihr eine gute Reise wünschte, und mitteilte, dass bei mir alles in Ordnung war. Dann nahm ich meinen Notizblock zur Hand und begann damit, meine bisherigen Reiseerlebnisse aufzuschreiben. Doch der Wind hatte gedreht und es war nicht möglich die Seiten des Blocks zu bändigen, sodass ich mir einen anderen Platz suchen musste. Nicht gleich fand ich eine geeignete Stelle, da entweder der Wind heftig blies oder aber es nach Diesel von den Motoren roch, sodass die Muse mich einfach nicht küssen wollte.

Endlich fand ich etwas. Doch kaum hatte ich mich hingesetzt, schrie mir jemand durch den krächzenden Bordlautsprecher in die Ohren. Man teilte uns mit, dass das Buffet in 30 Minuten geschlossen würde – in fünf verschiedenen Sprachen natürlich wieder! Ich setzte mich erneut um und spürte nicht, dass die Zeit im Fluge verging.

Rechts und links vom Schiff konnte ich lauter kleine Inseln sehen und das Meer lag ruhig dazwischen. Um halb eins, bekam ich an der Rezeption die Auskunft, dass das Schiff pünktlich um 13:00 Uhr in Patra anlegen würde.

Ein viertel Stunde später wurden die Passagiere durch die, mir mittlerweile sympathisch gewordenen, krächzenden Lautsprecher aufgefordert, sich an den Sammelplätzen am Ausgang einzufinden. Man machte uns noch einmal darauf aufmerksam, nachzusehen, ob wir auch alles beisammen hatte.

Zunächst durften die Autofahrer zu ihren Fahrzeugen. Dann waren die Fußgänger an der Reihe, für die es wieder durch diesen schier endlosen Gang, zwei Rolltreppen hinunter ging, ehe wir auf Höhe des riesigen Hafenvorplatzes waren. Ein Shuttlebus stand bereit, der zum Terminal fuhr, in dem sich der Hafenausgang befand.

Ich konnte keinen Schalter finden, wo man mir sagen konnte, an welcher Stelle ich den Mietwagen abholen konnte. Bei uns können sie nur Boote oder Fähren mieten, war die Antwort, die mich einigermaßen beunruhigte. Also begab ich mich vor das Hafengebäude, um Ausschau nach einem Mietwagen zu halten – was im nach hinein betrachtet irgendwie eine doofe Idee war. Woran erkennt man einen Mietwagen?

Ich stand nun, ähnlich wie in Bari an der Bushaltestelle, ziemlich ratlos in der Mittagzeit, bei glühender

Hitze in Patra am Hafen und hatte keinen Plan, was zu tun war. Plötzlich klingelte mein Handy: „Hallo, Mr. Bahro, I'm standing here with your car next to you. Please look right!" Ein Angestellter des Mietwagenverleihers wartete auf dem Parkplatz neben dem Hafengebäude auf mich, genauso wie es vor Wochen ausgemacht war.

Eh, was ist das denn für eine coole Nummer?

Zu meinem Erstaunen bekam ich einen dunkelblauen VW Polo mit Klimaanlage, obwohl wir nur einen Kleinstwagen gemietet hatten. Der Tank war viertel voll und die Formalitäten unbürokratisch und schnell erledigt. In den Vertrag wurde die Zeit – 13:45 Uhr – als Mietbeginn eingetragen, so wie es die Uhr im Armaturenbrett des Autos anzeige. Wir verabredeten, dass wir uns in zwölf Tagen wieder hier, an derselben Stelle und zur selben Uhrzeit, treffen würden. Dann verabschiedete er sich von mir und fuhr mit seinem Wagen davon. Ich warf meinen Koffer in den Kofferraum und nahm den Rucksack mit nach vorne, um die nächste Etappe von „Jürgens Abenteuer" anzugehen.

12 Patra - Flughafen Athen

War ich vor zwei Tagen in Isny um 14:00 Uhr in den
Bus gestiegen, so saß ich nun, wieder gegen 14:00
Uhr mitten in Griechenland in einem Mietwagen. Ich
hatte also bis jetzt, eine 48 Stunden Reise hinter mich
gebracht.

Angela musste gerade auf dem Weg zum Flughafen in
München sein, um gegen 17:00 Uhr mit dem Flugzeug in Richtung Griechenland zu starten.

An der ersten Tankstelle füllte ich den Tank voll auf,
und war auch schon auf der Autobahn ca. 185 Kilometer von Athen entfernt. Das einzige, was diese
Autobahn mit einer deutschen gemeinsam hatte, war
dass sie vier Spuren hatte - zunächst einmal.

Die schlechte Fahrbahn ließ kein schnelles Fahren zu,
was ohnehin nicht möglich war. Es sollte sich nämlich
bald herausstellen, das von den 185, gut 130 Kilometer, Baustelle waren.

Im Prinzip fuhr ich auf einer ganz normalen Straße,
die durch zwei geschlossene Mittestreifen getrennt
war und Geschwindigkeiten zwischen 50 und 70
Kilometer zuließen, wenn man den Geschwindigkeits-
begrenzungsschilder Glauben schenken mochte. Doch
bevor ich mich noch an die bestehenden Gegebenhei-
ten gewöhnen konnte, kam es zu einer Situation, in
der ich mit etwas weniger Glück, den süßen kleinen
dunkelblauen VW Polo mit Klimaanlage total zerlegt
haben konnte.

Ich fuhr gerade mal fünf Kilometer von den bevorstehenden 185 Kilometern, als die linke Spur wegen einer Baustelle gesperrt war. Außerdem verschwand die Autobahn in einen Tunnel und die Geschwindigkeit war auf 60 Stundenkilometer begrenzt. Mit deutscher Disziplin und deutschem Verantwortungsbewusstsein hielt ich natürlich die angegebene Geschwindigkeit ein und führte damit eine kleine Kolonne von fünf Fahrzeugen an. Wir waren gerade in den Tunnel eingefahren, als uns ein Wagen mit hoher Geschwindigkeit auf der linken gesperrten Spur überholte.

„Blödes Arschloch", dachte ich bei mir, als dem Überholer wohl gewahr wurde, dass in etwa 100 Metern vor ihm, die Baustellenfahrzeuge die Fahrbahn total versperrten. Anstatt zu bremsen, zog er unverhofft vor mir nach rechts, sodass mit die Gummi-Begrenzungshüttchen nur so um die Ohren flogen. Ich hatte Mühe ihnen auszuweichen. Bevor ich das Auto wieder unter Kontrolle hatte, gab das super blöde Arschloch noch mehr Gas, und suchte das Weite!

„Willkommen in Griechenland!"

Knapp vier Kilometer weiter ereilte mich der nächste Schreck! Mag sein, dass ich von der überwältigenden Landschaft Griechenland etwas abgelenkt war. Doch wie sollte ich ahnen, dass mir im Baustellenbereich, bei doppelt durchgezogener Mittellinie ein Wagen auf meiner Fahrbahnseite entgegen kommen würde? Nur knapp kamen wir aneinander vorbei, da ich geistesgegenwärtig nach rechts zog und mir in Gedanken die

Frage stellte, wie viele Idioten denn hier unterwegs waren.

Ich fuhr am nächsten Rastplatz raus, um einen Kaffee zu trinken. Dann machte ich mir klar, dass ich mich während der letzten 48 Stunden gemütlich durch halb Europa chauffieren habe lassen und nun wieder selbst, mitten in dem rasenden Wahnsinn unserer Zivilisation, unterwegs war.

Irgendwann jetzt müsste Angela eigentlich in ihrem Flugzeug sitzen, das um 14:55 Uhr von München aus starten sollte.

Ich fuhr wieder auf die, nur aus Baustellen bestehenden Autobahn auf und versuchte noch konzentrierter zu fahren. Nach weiteren 20 Kilometern gab ich es auf, mich an die Geschwindigkeitsbegrenzungen zu halten, da es mir auf den Nerv ging, dass dauernd jemand an meiner Heckklappe hing. Allzu aufdringliche Drängler ließ ich in den Fahrbahnbuchen überholen, in denen ich ganz rechts fuhr. Von da an, passierte mir nichts Aufregendes mehr, während der Fahrt nach Athen, was mich in Lebensgefahr, auf den griechischen Autobahnen, die nur aus Baustellen bestanden, brachte.

Je näher ich Athen kam, desto weniger Baustellen gab es. Etwas 30 Kilometer vor der griechischen Hauptstadt zweigte sich die Autobahn. Ich sah zwar das Flughafenzeichen auf dem Wegweiser, der links abbog, doch konnte ich mir nicht vorstellen, dass es bereits jetzt schon dorthin ging. Es musste ein anderer Flughafen gemeint sein.

Also fuhr ich geradeaus und wunderte mich, dass immer mehr Häuser die Autobahn säumten.

Ohne ein Hinweisschild, war sie nun zu Ende und ging übergangslos in eine innerstädtische Straße über. Innerstädtisch bedeutete in diesem Fall, dass ich mitten im Zentrum von Athen gelandet war.

Was hatte Helena doch noch gleich gesagt? „Fahren sie bloß nicht mit dem Auto nach Athen hinein!" Aber wer hörte schon auf Insidertipps? Es war geradezu kuschelig hier, mitten in der Rushhour gegen 17:00 Uhr im Zentrum von Athen – Auto an Auto.

Genau wie in Italien, waren viele Griechen hier in Athen mit dem Motorroller unterwegs. „Quäck, quäck", wurde ich von hinten, von links oder rechts angehupt! „Das mein Junge", sagte ich zu mir: "hast du richtig gut hin gekriegt!"

An der ersten Tankstelle fuhr ich aus, um nach dem Weg zu fragen. Zu meinem Erstaunen, sprach der Tankwart ein wenig englisch. Zunächst klärten wir, was links bzw. rechts auf englisch bedeutete. Wir einigten aus darauf, dass sein linker Arm „left" hieß und so begann er mir zu erklären, wohin ich zu fahren hätte. Allerdings, so sagte er mir, lag der Flughafen weit draußen im Süden von Athen und dass ich noch ein paar Kilometer vor mir hätte. Ich sollte unterwegs doch noch einige Male nach dem Weg fragen. Also kurbelte ich mein Fenster herunter und fragte, an jeder der vielen Ampel, einen dieser Rollerfahrer nach dem Weg zum Flughafen. Ohne Ausnahme verstanden sie mich alle und lotsten mich so aus Athen heraus.

Ich nahm die ungewollte Sightseeing-Tour als Spaß und machte in diesem Gewirr von Autos, Fußgängern und hauptsächlich Rollerfahrern ein paar Fotos, um später beweisen zu können, dass ich tatsächlich mit dem Auto in Athen war und vor allem, dass ich tatsächlich mit dem Auto wieder aus Athen herausgefunden hatte!

Die kleine Stadtrundfahrt hatte mich natürlich einige Zeit gekostet. Dennoch fand ich um 18:12 Uhr einen Parkplatz vor dem Flughafengebäude. Der Eingang, aus dem die Fluggäste aus München aus dem Terminal heraus kamen, war nur knapp 50 Meter von meinem Auto entfernt. Per sms unterrichtete ich Angela, dass ich vor dem Gebäude auf sie wartete. Sie schrieb zurück, dass das Flugzeug pünktlich um 18:20 Uhr landen würde, und sie sich schon im Landeanflug befand.

Das war ne echt coole Nummer!

Als ich sie am Ausgang entdeckte, zog ich schnell den Fotoapparat aus der Tasche, um ihre Ankunft zu dokumentieren. Dann ging ich auf sie zu, um sie mit den Worten: „He Baby, hier bin ich!" zu begrüßen. Wir fanden es beide ziemlich gut, dass alles so perfekt geklappt hatte – nein, wir waren beide geradezu begeistert, dass alles so perfekt geklappt hatte!

Dann kauften wir uns noch ein paar Sandwichs, um uns für die rund 180 Kilometer nach Arkitsa zu stärken. Dort wollten wir die letzte Fähre um 22:00 Uhr unbedingt erreichen, die uns auf die Insel Eubôa oder Evia, wie die Griechen sagen, übersetzen sollte.

13 Athen - Edipsous

Ich hatte Zweifel, dass wir das schaffen könnten,
denn meine Fahrt von Patra nach Athen betrug ebenfalls 180 Kilometer. Wegen des schlechten Zustands
der Autobahn und natürlich wegen meines kleinen
Abstechers ins Zentrum von Athen, hatte ich für diese
Strecke fast viereinhalb Stunden gebraucht. Und
nun war es 19:00 Uhr. Wenn ich die Stadtrundfahrt
abzog, dann hatte ich drei Stunden für 180 Kilometer
gebraucht. Also könnte es theoretisch wieder einmal
so eben klappen. Es gab einem wirklich nochmals so
einen gewissen Kick, wenn alles auf die letzte Minute
fokusiert war. Also „Rock`n`Roll"!
Zu meiner Überraschung blieb die Autobahn im
selben guten Zustand, wie sie um Athen herum war.
Außerdem fuhren nur wenige zu dieser Zeit in Richtung Norden, sodass wir den Highway plötzlich für
uns alleine hatten. „Mensch gib mal ein wenig Gas",
trieb mich Angela an. Sie wollte nicht die kommende
Nacht im Auto verbringen. Also gab ich Gas und der
dunkelblauen VW Polo mit Klimaanlage raste durch
die griechische Nacht dahin, Richtung Arkitsa, während Angela auf der Landkarte überprüfte, wie weit
wir schon gefahren waren.
Nach knapp einer Stunde Fahrt, ging es rechts nach
Chalkida ab, von dort aus, wir über die besagte
Brücke auf die Insel Evia hätten fahren können. Doch
wie hatte Helena gesagt? Wir sollten auf keinen Fall
im Süden vom Festland aus, über eine Art San Fran-

zisko Brücke nach Euböa fahren, da die Hochzeit im Norden der Insel stattfand. Der Weg vom Süden nach Norden führte auf abenteuerlichen Wegen durch eine Gebirgslandschaft, die sogar eine gewisse Schwindelfreiheit voraussetzte und in der Nacht geradezu lebensgefährlich zu be-fahren war. Während ich nach rechts schaute und einen Moment darüber nachdachte, dass ich es in Athen mit Bravour geschafft hatte, ihren ersten Ratschlag zu widerlegen, schrie Angela mich plötzlich an. Ich hatte übersehen, dass sich die Autobahn auch hier wieder gabelte, und ich weder die rechte, noch die linke Spur nahm, sondern schnurstracks auf die Mittelbegrenzung los fuhr. Gerade noch rechtzeitig, konnte ich den kleinen VW nach links ziehen und wir kamen abermals mit dem Schrekken davon.

„Aha", dachte ich bei mir, „das ist jetzt das dritte Zeichen während dieser Reise, das mir der liebe Gott gegeben hatte. Er konnte mich nicht dort oben im Himmel gebrauchen – also hätte ich auch fliegen können. Meine Zeit war offensichtlich noch nicht gekommen!"

Kaum hatte Angela den Schreck überwunden, realisierte sie, dass wir für die halbe Strecke nach Arkitsa nur knapp eine Stunde gebraucht hatte. Es war gerade 20:00 Uhr. Und so trieb sie mich, ungeachtet der vorherigen Geschehnisse weiter an, schneller zu fahren. Sie wollte nun unbedingt die vorletzte Fähre um 21:00

Uhr bekommen, um endlich „anzukommen", wie sie es nannte. Es war bereits stockdunkel auf der Autobahn und ich konnte erkennen, dass außer uns niemand anderes darauf unterwegs war. Also trat ich aufs Gaspedal und jagte den kleinen VW durch die Nacht. Fünf Minuten, bevor die Fähre nach Loutra Edipsou auslief, erreichten wir den Hafen in Arkitsa. Angela lief zum Fährhäuschen, um die Fahrkarten zu lösen, während ich auf die Fähre fahren wollte.

Doch irgendwie versperrte mir ein Matrose den Weg und gab komische Zeichen, die ich erst im zweiten Anlauf verstand. Er forderte mich auf rückwärts auf die Fähre zu fahren, da diese nur hinten am Schiff eine Luke hatte, aus der wir auf der anderen Seeseite wieder heraus fahren mussten. Also wendete ich und fuhr rückwärts auf das Schiff, während Angela das mit den Fahrscheinen klärte. Kaum waren wir an Bord, wurde die Klappe hochgezogen und losgefahren.

Für mich gab es ein Küsschen von Angela, weil sie fand, dass ich ganz cool gefahren wäre und es wieder einmal in letzter Minute geschafft hatte. Dann lud sie mich zum Kaffee ein, während wir über den euböischen Golf fuhren. Obwohl das Meer uns einigermaßen ruhig erschien, wackelte es doch wesentlich mehr auf dem Schiff, als auf der riesigen Fähre, mit der ich von Bari gekommen war.

Die Überfahrt dauerte fünfundvierzig Minuten bis wir nun endlich auf unserer Insel waren.

14 Edipsous - Pefki

In Edipsous angekommen, fanden wir auch gleich am Hafen den Wegweiser nach Istiea, denn es gab hier nur eine Straße, die wir nach links oder rechts abbiegen konnten. Gleich nach Istiea lag Pefki, die Endstation unserer Hinreise.

Die von unserer Gastgeberin mit 10 Minuten angegebene Fahrtzeit zog sich endlos ins Landesinnere. Komisch erschien mir, dass wir vom Hafen aus, also auf Meereshöhe startend, ständig bergab fuhren, sodass ich den Eindruck gewann, sozusagen in den Keller des ägäischen Meeres zu fahren. Aber irgendwie blieben wir doch immer über der Wasseroberfläche. Außerdem war es nun stockdunkel hier und es gab in den Olivenhainen keine Straßenlaternen. Auch reflektierten die Straßenschilder nicht, so wie bei uns daheim, sodass wir Mühe hatten die Richtung nach Pefki zu finden. Nach einer dreiviertel Stunde erreichten wir dann endlich das kleine Dorf am nordöstlichen Zipfel von Evia.

Wie ausgemacht, rief Angela Helena an, um ihr mitzuteilen, dass wir angekommen waren. Helena hatte für unsere Unterkunft gesorgt, die wir aber nicht alleine finden würden. Aus diesem Grunde schickte sie uns den Lebensgefährten ihrer Mutter, der in München lebte, damit er uns das Appartement zeigen konnte. Sie beschrieb uns einen Treffpunkt, an dem wir auf ihn warten sollten. „Er ist in etwa zehn Minuten bei euch", sagte sie, bevor sie auflegte.

„10 Minuten" war eine griechische Zeiteinheit, die frei übersetzt soviel wie „Geduld" bedeutete.
Aber das bekamen wir später, im Verlauf unseres Aufenthaltes, auf der Insel immer wieder mit.
Es dauerte wieder eine knappe halbe Stunde, bis Elias bei uns eintraf. In der Zwischenzeit kamen uns schon Zweifel, ob wir wirklich vor der richtigen Taverne warteten, die sie uns beschrieben hatte. Mit einem kleinen bisschen mehr Gefühl für wahre Zeiteinheiten, hätte uns Helena auch den Tipp geben können, in der Taverne, anstatt davor zu warten, denn wir hatten sehr viel Durst und ebenso viel Hunger.
Elias begrüßte uns freundlich, zeigte uns die Unterkunft und lud uns zu einer Feier ein, die im Hause der Braut stattfand. Sozusagen ein Junggesellenabend für Frauen oder heißt das etwa Jungfernabend?

Egal - mittlerweile war es 23:00 Uhr geworden und wir waren völlig, von der Reise, erledigt. Er verstand, dass wir absagten und fuhr alleine zurück. Ich schaute auf die Uhr und rechnete aus, dass ich nun 57 Stunden am Stück, unterwegs gewesen war.

(fünfzehn) 57 Sunden

Zunächst machten wir uns mit unserem Appartement vertraut, duschten noch schnell und gingen zurück zur Taverne, die nur einen Steinwurf von uns entfernt war. Obwohl es gegen Mitternacht ging, herrschte hier noch Hochbetrieb und wir versuchten der Bedienung klar zu machen, dass wir nur noch eine Kleinigkeit zum Essen haben wollten.
Auf Wunsch hin, stellte die Köchin uns einen Teller mit verschiedenen Salaten und Gemüse zusammen. Dazu trank Angela ein Glas Wein und ich ein Bier. Das ganze Essen war relativ billig und so gingen wir zufrieden nach Hause, wo wir todmüde ins Bett fielen.

Wir waren beide so geschafft, dass wir am folgenden Tag, Freitag, den 29. August, bis 12:00 Uhr mittags schliefen. Dann standen wir auf, gingen wieder in die Taverne, die bereits geöffnet hatte und frühstückten. Wieder zuhause angekommen, schrieben wir einen kurzen Einkaufszettel, um uns mit dem Nötigsten zu versorgen.
Als mein Blick auf die Uhr am Armaturenbrett unseres Leihwagens fiel, stellten wir fest, dass es bereits eine Stunde später war. Erst jetzt realisierten wir, dass es während unserer Reise eine Zeitverschiebung um eine Stunde gegeben hatte.
„Dann warst du ja nur 56 Stunden unterwegs", wendete Angela ein.

„Entschuldige mal, nur 56 Stunden? Du warst ja schon nach deiner zehnstündigen Reise so erledigt, dass du nur noch ins Bett wolltest – nein, nach deiner neunstündigen Reise, muss es da ja wohl richtig heißen", gab ich ihr zur Antwort.

„Außerdem spürt mein Körper jede einzelne der 57 Stunden, sonst hätten wir doch nicht so lange geschlafen!" „Und - ich habe keine Ahnung, wo man mir die eine Stunde untergejubelt haben könnte. Ich war von Dienstagmittag um 14:00 Uhr bis Donnerstagabend um 23:00 Uhr unterwegs, und das sind nach Adam Riese 57 Stunden und basta!!"

Angela wollte sich damit nicht so recht zufrieden geben, sodass ich ihr erklären musste, dass ja sonst der Buchtitel falsch sei.

„Man könnte den ja noch ändern", gab sie zurück, „du bist doch erst auf Seite 32."

„Nein, es wird nichts geändert, schließlich sind wir hier in Griechenland und da dauern 10 Minuten ja auch eine dreiviertel Stunde!" Dieses Argument war so überzeugend, dass sie es gut sein ließ.

16 Die ersten Eindrücke

Wir fanden einen Supermarkt, der einem alten Krämerladen sehr ähnlich kam. Hier gab es einfach alles: Lebensmittel, Haushaltswaren, Nähzeug, Kleider und Getränke. Das Preisniveau war ähnlich wie in Deutschland, nur den Wein, den warf man uns förmlich nach, was Angela, als Weintrinkerin, sehr gefiel. Zurück in der Ferienwohnung, wurden wir von der Brautmutter empfangen. Es gab hier drei Appartements im Untergeschoss des Hauses, oben wohnten die Besitzer.

Neben uns, zur Linken hatte sich die Mutter von Helena mit ihrer Familie eingemietet. Sie wohnten seit Jahren in München und sprachen deshalb alle sehr gut deutsch, sodass wir einige gute Tipps von ihnen erfuhren. Rechts von uns wohnten die Eltern des Bräutigams. Die waren aus Athen und konnten leider weder deutsch noch englisch, was mich ein wenig wunderte, hatte ich doch während meiner Fahrt hierher nur Griechen getroffen, die auch englisch sprachen. Das war schade, denn die beiden waren uns ebenso sympathisch, wie die Mitglieder der Familie der Brautmutter.

Meine ohnehin schon gute Laune, steigerte sich noch, als ich bemerkte, dass in unserer Ferienwohnung auch ein Bügeleisen vorhanden war. Die ganze Zeit quälte mich schon der Gedanke, wie ich das Sakko, welches ich zusammengefaltet im Koffer durch Südeuropa gefahren hatte, glatt bekommen konnte.

Angela zog mich immer auf, wegen meines Bügel-wahns, wie sie es nannte. Aber letztendlich war auch sie froh, dass es ein Bügeleisen gab, denn ihr Kleid, das sie sich extra für die Hochzeit gekauft hatte, fand es offensichtlich auch nicht so toll, so lange in einem Koffer zu liegen. Es hatte auch die eine oder andere Falte abbekommen. Und so bügelte ich in einem Auf-wasch alles, was zu bügeln war.

Am Abend gingen wir in der kleinen Touristenmeile ein wenig spazieren und stellten fest, dass hier nur ausschließlich Griechen unterwegs waren. Helenas Mutter erzählte uns später, dass Evia das Ferienpa-radies der Athener war und sie alles dafür taten, dass dies auch so bliebe. Wir fanden das auch ganz toll, weil wir im Urlaub eher Ruhe und Entspannung such-ten, denn die wilden Discoabende Mallorcas.

An diesem Abend landeten wir dann in einem dieser Strandlokale, die auf der gegenüberliegenden Stra-ßenseite vom Meer lagen. Hier wurde über die Strasse hinweg serviert, wo wir unter Palmen oder irgendwel-chen Baldachinen saßen. Neben uns war sofort der kleine Badestrand, wo wir Liegen und Sonnenschirme entdecken konnten. Morgen, würden wir es einmal ausprobieren, wie es sich anfühlte im ägäischen Meer zu baden.

Wir aßen Fleischspieße vom Grill und griechischen Salat, dazu Bier und Wein, natürlich. Meine Hühn-chenspieße hätten gerne noch ein paar Minuten länger auf dem Grill vertragen, denn sie waren nicht ganz durch.

Aber sonst war alles in Ordnung, zumal die Menschen hier sehr freundlich zu uns waren. Ich konnte nichts von diesem Deutschenhass bemerken, den uns die Medien einzureden versuchten, als Deutschland auf Sparmassnahmen in Griechenland drängte. Wir hatten viel mehr den Eindruck, als ob sie sich richtig darüber freuten, dass wir hier unseren Urlaub verbrachten.

Schon seit Tagen wurde im Heimatort der Braut gefeiert, so wurde uns berichtet. Am heutigen Freitag allerdings war ein Ruhetag eingelegt worden, da ja morgen die von uns allen erwartete Hochzeit stattfinden sollte. Es waren von Angelas Arbeitskollegen und Kolleginnen, in der Zwischenzeit, alle in Griechenland angekommen. Insgesamt waren 13 Personen extra zur Hochzeitsfeier von Deutschland angereist. Keiner davon hatte jedoch eine solch spannende Anreise, wie ich. Erst spät kamen wir an diesem Freitag ins Bett, da wir sofort mitbekommen hatten, dass das Leben auf dieser Insel erst nachts um zehn begann, weil es tagsüber zu heiß dafür war.

17 Hochzeit

Samstag, 30. August – der Tag der Hochzeit fing für uns wieder erst um 12:00 Uhr mittags an. Wir wussten nicht so recht warum, aber wir schliefen hier unheimlich lange, vielleicht auch wegen der Hitze? Als wir aus der Wohnung kamen, um zum Frühstück zu gehen, erzählte uns Elias, dass sich seine Frau bereits seit dem frühen Morgen in dem Bergdorf und ehemaligem Wohnhaus der Braut aufhielt. Es waren noch unheimlich viele Vorbereitungen für den heutigen Abend zu treffen.
Wir wollten uns mit ihm um 18:15 Uhr treffen, um gemeinsam nach Galatsona zu fahren, wo die kirchliche Trauung stattfinden sollte. Die Fahrt dorthin, würde 10 Minuten dauern.
Nachdem wir in unserer Taverne gefrühstückt hatten, fanden wir in der Bucht, in der sich auch der kleine Hafen von Pefki befand ein Hotel mit Liegestühlen und Sonnenschirmen, direkt am Strand. Zu unserer großen Überraschung brauchten wir nichts für die Liegen zu bezahlen. Man fragte uns nur, ob wir etwas zu trinken haben wollten und ließ uns gewähren, wie wir wollten. Wir bestellten Cola und Limonade für knapp vier Euro und durften dafür die Toilette des Hotels benutzen und uns am Spätnachmittag auch dort umziehen. Es kam mir einfach himmlisch vor. Das Meer war klar und sauber. Hier waren weder Qualen, noch Seeigel oder Mücken. Die ersten paar Meter gab es Kiesstrand, im Wasser war Sand. Wir lagen in

den Liegestühlen, Angela las ein Buch, ich hörte über Kopfhörer Musik und taten sonst nichts, außer ab und zu einmal kurz ins Wasser zu gehen, um uns abzukühlen.

Gegen 16:00 Uhr traten wir den Heimweg an, um uns nun endlich für die Hochzeit herzurichten. In den Nachbarwohnungen herrschte ebenfalls betriebliches Treiben.

* Um Punkt 18:15 Uhr fuhren wir im kleinen Konvoi los.

Nach besagten zehn Minuten Fahrtzeit bogen wir von der Hauptstrasse in eine Nebenstraße ein. Es ging hinauf ins Bergland von Evia. Bald führte der Weg ausschließlich durch romantische Olivenhaine. Draußen wurde es schon dunkel.

Nach gute einer halben Stunde Fahrt fuhren wir in einen Tunnel ein, der aus den Olivenbäumen bestand. Man hatte die Kronen der Bäume, die links und rechts von der Straße standen, in den Wipfeln mit Seilen zusammengebunden und sie zur Straßenmitte hingezogen.

Die Girlanden in ihren Zweigen waren aus Blumen geformt und bunte Lichtketten erleuchteten den etwa zehn Meter langen Torbogen. Wir bekamen einen Vorgeschmack darauf, wie viel Mühe sich die Dorfbewohner gemacht hatten, um die Hochzeit zu einem angemessenen Fest werden zu lassen.

Ein paar Meter vor dem Dorf, war ein großer Platz, auf dem wir die Autos abstellen konnten. Kaum waren wir ausgestiegen, kamen junge Leute und begannen die Wagen mit Blumen zu schmücken. Die Burschen hatten schwarze Hosen an, dazu weiße Trachtenhemden mit roten Verzierungen an den Ärmeln. Um die Hüften trugen sie rote Schals, darüber eine schwarze Weste und auf dem Kopf kleine schwarze Kappen. Die Mädchen hatten ein schwarzes Trachtenkleid an, ebenfalls rote Schals um die Hüften und ein weißes Kopftuch. Man konnte ihnen ansehen, dass sie Spaß hatten und sich auf die bevorstehende Hochzeit freuten.

Zu Fuß ging es nun zum Elternhaus der Braut. Auf dem Vorplatz hatten sich schon viele Gäste eingefunden. Sie waren alle sehr schön angezogen. In dem kleinen Garten vor dem Haus hielten sich die engsten Freunde und Verwandten der Braut auf. Überall standen kleine, schön gedeckte Tische, mit kleinen Snacks oder Getränken, an denen man sich bedienen konnte. Im hinteren Eck des Gartens entdeckte ich eine Musikkapelle in sagenhaften Trachten. Sie waren alle weiß gekleidet und hatten Blusen mit weiten ausladenden Ärmeln an. Darüber breite bunt bestickte Westen und ebenfalls breite Schals, in den Farben Griechenlands, um die Hüften. Es mussten wohl so an die zwanzig Musiker gewesen sein, die geduldig auf ihren Einsatz warteten.

Die kleineren Kinder trugen auch eine weiße Tracht.

Dabei schien es den Jungen nichts auszumachen, dass sie gleich, wie die Mädchen weiße Strumpfhosen und Röcke trugen. Um ihre Hüften schlangen sich rote Schals und um ihre Waden rote Bänder, passend zu den kleinen roten Kappen auf ihren Köpfen und den Wollkugeln auf ihren Schuhen. Sie schleppten Säcke mit sich herum, die mit Rosenblüten gefüllt waren. Im Haus wurden, nach griechischem Brauch, einige Hochzeitsrituale abgehalten.

Nachdem die Braut fertig frisiert und geschminkt worden war, wurde ihr von den unverheirateten Mädchen das Hochzeitskleid angezogen. Die Schuhe trug eine Freundin auf einem Tablett daher und ein Freund des Bräutigams zog ihr dann die Schuhe an. Da sie viel zu groß waren, musste der Freund sie mit Geld auffüllen, solange, bis sie passten.

Pünktlich um viertel vor acht, trat die Braut aus dem Haus. Sofort begann die Musik zu spielen. Der Brautvater und ihr Bruder führten die Braut nun zu Fuß zur nahe gelegenen Kirche. Die kleinen Jungen und Mädchen säumten den Weg und warfen die Rosenblüten vor den dreien auf den Boden, sodass die auf einem Rosenteppich daher schritten. Die älteren Burschen und Mädchen, die zuvor die Autos geschmückt hatten, hielten Bögen aus Blumen geflochten über den Weg. Gefolgt von den Verwandten, der Musikkapelle und den anderen Gästen ging es die Dorfstraße hinauf, zur kleinen Kirche, wo der Bräutigam mit den Trauzeugen wartete. Schon während des Laufens tanzten die Gäste zu den griechischen Folkloreklängen der Musiker, die eine fröhliche Stimmung herbei zauberten. Der Bräutigam stand stolz und aufrecht, in seiner Tracht, zwischen den Zeugen auf den Stufen der kleinen Kapelle. Ich hatte den Eindruck, als ob ein Athlet der griechischen Antike vor uns stand.

Der Vater übergab ihm die Braut und das Paar trat in die Kirche ein.

Da diese nur sehr klein war, fanden lediglich die nächsten Verwandten darin Platz. Für die anderen Gäste waren im Vorhof der Kirche Stühle aufgestellt und Kissen lagen auf der halb hohen Mauer, auf denen man sich setzen konnte. Der ganze Platz war mit bunten Girlanden geschmückt und Kerzen trugen zu einer besinnlichen Stimmung bei, denn mittlerweile war es schon ganz dunkel über Griechenland geworden.

In der Festschrift zur Hochzeit wurde den deutschen Gästen erklärt, dass die orthodoxe kirchliche Trauung aus zwei Teilen bestand, der Verlobung und der eigentlichen Hochzeit, auch Krönung genannt:

Die Verlobung besteht aus Fürbitten, den Ringwechsel und dem Segensgebet des Priesters.

Der Ablauf der Trauung beinhaltet Fürbitten, die Segensgeben des Priesters, die Krönung und Gebete. Den Brautleuten wird süßer roter Wein gereicht. Dann folgt das dreimalige Umschreiten des, in der Mitte der Kirche stehenden, Altars, was als Tanz des Isaia bezeichnet wird.

Nach der Trauung trat das Paar vor die Kirche, wo die Gäste sich links und rechts vom Weg versammelt hatten. Sie bildeten einen Gang, durch den die frisch Vermählten zum Auto laufen mussten, während sie mit Reis beworfen wurden.

Die Musikgruppe spielte dazu flotte Töne, sodass sie den ganzen Vorhof der Kirche in Schwingung versetzten. Es herrschte nun eine wahnsinnig tolle Stimmung hier vor der Kirche.

Dann besetzten die Gäste ihre, mit Blumen, supertoll geschmückten Autos und es ging in einem schier nicht enden wollenden Konvoi durch die Olivenhaine hinunter in das nächste Dorf, wo die eigentliche Feier stattfand.

Elias hatte uns erzählt, dass die Fahrt dorthin gut 10 Minuten dauern würde. Sie dauerte natürlich wieder eine gute halbe Stunde, nicht zuletzt, weil die Straßen so schlecht waren und natürlich auch, weil bis hinunter zum Meer einige Kilometer zurückgelegt werden mussten.

Die Feier fand in einem großen Saal eines Restaurants statt, das direkt am Meer lag. Die fast zweihundert Gäste füllten den Raum aber ziemlich schnell und auch die Musikkapelle fand ihren Platz auf der Bühne. Sogleich begannen die Musiker zu Spielen und die Leute tanzten, während sie auf das Brautpaar warteten. Kurze Zeit darauf wurden alle aufgefordert, sich auf der Terrasse des Lokals einzufinden, von wo aus man direkt aufs Meer schauen konnte.

Dort bot sich uns ein schönes Schauspiel: Viele kleine, bunt geschmückte Schiffe kreuzten vor dem Strand, alle durch Kerzen beleuchtet. In der Mitte konnten

wir ein etwas größeres Boot erblicken, welches das
Brautpaar zum Ufer brachte, wo es mit einem riesigen
Feuerwerk begrüßt wurde.

Alle Achtung, dachte ich bei mir, das ist schon ganz
schön beeindruckend.

Dann ging es zurück in den Saal, wo er Bräutigam
das Abendessen eröffnete. Eine stattliche Anzahl von
Obern, in griechischen Trachten, stand bereit, um auf
großen Platten das Essen zu servieren. Karaffen voller
Wein und Wasser standen bereits auf den reich ver-
zierten Tischen.

Die Musik schlug nun dezentere Töne an und hielt
sich im Hintergrund, sodass wir uns während des
Essens unterhalten konnten. An unserem Tisch saßen
alle deutschen Gäste, die tief beeindruckt von dem
bisher erlebten waren.

Er gab ein Vier-Gänge-Menü, welches alle Spezialitäten Griechenlands zu bieten hatte. Als Hauptgang
wurde Lamm gereicht, das uns auf der Zunge zerging.
Dazu reichlich Wein, Wasser und Ouzo. Gleich nach
dem Essen eröffnete der Brautvater mit seiner Tochter
den Tanz. Und wie auf der Einladung angekündigt
leerten sich die Tische, weil jeder sich zum Tanz
begab.

Es wurde im Kreis herum getanzt und die Tanzenden
wogen sich in der Bewegung des Meeres vor und
zurück. Wir konnten nicht auf unseren Stühlen sitzen
bleiben und wurden sofort in den Sog der Melodie
gezogen. Obwohl ich schon lange nicht mehr getanzt
hatte, fand ich gleich in diesen sanften Rhythmus und

tanzte solange, wie es mir meine Kondition erlaubte.

Wir erlebten die pure Lebensfreude und tranken Ouzo, Wein und Wasser, während im Hintergrund das Meer sanft gegen das Ufer stieß und drinnen wirklich gute Musiker die Stimmung hoch hielten. In den Tanzpausen lief die Musik diskret im Hintergrund, sodass wir uns auch mit den griechischen Gästen unterhalten konnten, die allesamt sehr freundlich zu uns waren.

Es musste wohl vier Uhr morgens gewesen sein, als wir uns auf den Heimweg machten…

18 ..noch ne Hochzeit

Ja, genau so bombastisch mussten sich sicherlich alle unsere Stammtischbrüder und –schwestern daheim, eine griechische Hochzeit vorgestellt haben. Besonders die, welche mich unbedingt dazu ermutigten, mit Bus und Fähre zu fahren, wenn ich denn nicht fliegen wollte. Aber nach ihren Vorstellungen, durfte ich diese Hochzeit nicht verpassen!
Auch Angela und ich stellten sie uns so oder so ähnlich vor, deshalb nahmen wir den weiten Weg von Deutschland nach Griechenland auf uns. Leider lief sie dann aber nicht ganz so ab, wie ich sie auf den vorherigen Seiten geschildert hatte…

Also zurück auf Seite 67*:
In den Nachbarwohnungen herrschte ebenfalls aufgeregtes Treiben.

Wir fuhren natürlich nicht pünktlich um 18:15 Uhr im kleinen Konvoi los.

Im wieder schien irgendjemand irgendetwas vergessen zu haben. Und so liefen verschiedene Personen immer wieder ins Haus zurück, um noch etwas zu holen. Es war kurz nach halb sieben, bis wir endlich los kamen. Nach besagten zehn Minuten Fahrtzeit, nach denen wir eigentlich am Ziel hätten sein sollen, bogen wir von der Hauptstrasse, wenn man die so nennen durfte, in eine Nebenstraße ein.

Je weiter wir fuhren, desto schmaler und unwegsamer wurde sie. Es ging hinauf ins Bergland von Evia. Bald führte der Weg ausschließlich durch Olivenhaine. Umso höher wir kamen, desto größer wurden die Schlaglöcher. Ich bildete mir ein, dass der kleine VW die Räder nach außen stellte, um so einen Spagat zu machen, damit er nicht in den Schlaglöchern versank. Draußen wurde es schon dunkel und es schüttelte uns mächtig durch, auf der holprigen Straße.

Schon weit bevor wir das erste Haus des Dorfes sehen konnten, parkten die Autos der Gäste recht abenteuerlich an der Straßenseite, sodass wir Mühe hatten überhaupt durch zu kommen. Das Elternhaus der Braut stand ziemlich in der Mitte des Dorfes. Ich ließ Angela dort aussteigen, um nach einem Parkplatz zu suchen. Vor dem Haus hatten sich schon etliche Gäste eingefunden, die darauf warteten, dass die Braut aus dem Haus kam, um zur Kirche zu gehen. Die sollte nämlich um 19:00 Uhr beginnen. Doch in diese Richtung tat sich noch nichts, und dass obwohl wir ja bereits eine viertel Stunde zu spät angekommen waren. Ich fuhr hinter der kleinen Kirche in einen Feldweg, der tatsächlich in einem noch schlechteren Zustand war, als die Nebenstraße, auf der wir gekommen waren. Zwischen ein paar Olivenbäumen fand ich einen Platz für das Auto. Es ging ziemlich steil hinunter, sodass ich vor die Räder noch einen großen

Stein legte, damit der Wagen nicht ins Rollen kam. Vor dem Haus stand nun eine immer größer werdende Menge, die etwas ungeduldig wirkte. In dem kleinen Garten fanden die engsten Angehörigen Platz und wir Gäste aus Deutschland durften uns zu ihnen gesellen. Oben im ersten Stock fieberte die Braut ihrer Trauung entgegen. Es herrschte ein wildes Treiben. Immer wieder traten Gäste in das Zimmer, in dem sich die Braut aufhielt und kamen wieder heraus, um nach einer Weile wieder hinein zugehen. Später erzählte man uns, dass etwas mit dem Brautkleid nicht in Ordnung war und es in aller Eile hergerichtet werden musste.

Auf der rechten Seite des Hofes standen zwei Musiker, die nicht wussten, ob sie spielen sollten, oder besser nicht. Die kleinen Kinder liefen ungeduldig und schreiend hin und her.

Es mochte wohl auf halb neun zugegangen sein, als wir endlich einen Blick auf die Braut werfen konnten. Dann gab der Brautvater das Kommando zum Aufbruch und die ganze Hochzeitsgesellschaft lief hinter ihm und der Braut Richtung Kirche.

Auf den Stufen der Kirche stand der, im Vergleich zu seiner zukünftigen Frau, einen Kopf, kleinere Bräutigam.

„Ach du meine Güte", schoss es mir durch den Kopf: "Der wird nicht viel zu melden haben, in seiner Ehe, wenn ich mir diese resolute Frau ansah, die an Papas Seite zur Kirche gebracht wurde".

Mit gut zwei Stunden Verspätung konnte die Trauung

nun endlich beginnen. Die Verwandten durften mit in die kleine Kirche, alle anderen mussten auf dem Kirchenvorplatz warten.

Wir streckten ab und zu die Hälse, um in die Kapelle zu blicken. Ansonsten standen wir herum und warteten bis die Zeremonie zu Ende war. Wir konnten keinen einzigen Besucher in einer original griechischen Tracht erblicken. Genau wir bei uns zuhause trugen die Herren meist einen schwarzen Anzug und die Damen schöne Abendkleider.

Die Musiker, gekleidet mit schwarzer Hose und weißem Hemd, rauchten im Hintergrund des kleinen Gartens, ohne ihre Instrumente überhaupt anzufassen. Als das Brautpaar nach einer knappen Stunde aus der Kirche trat, hatten die Gäste einen Gang gebildet, durch den sie zum Auto laufen mussten. Unmengen von Reis gingen auf sie nieder, sodass sie relativ schnell im Wagen verschwanden. Die aufgeregte Schwester der Brautmutter erklärte uns, dass es in Griechenland Sitte sei, ein paar Kerzen für die Jungvermählten anzuzünden. Sie nötigte uns geradezu in die Kirche zu gehen, um diesem Brauch genüge zu tun.

In der Kapelle herrschte ein großes Gedränge, denn fast alle zweihundert Gäste, wollten Kerzen anzünden. Bis wir an der Reihe waren, waren die meisten der Gäste bereits abgefahren und wir hatten Glück, dass wir noch jemanden fanden, der wusste dass die Feier in Kanatadika stattfand.

Die Fahrt dorthin würde knappe 10 Minuten dauern.

Also fuhr ich einem weißen Jeep hinterher, der wesentlich besser mit den schlechten Straßen zu Recht kam, als unser kleiner dunkelblauer VW Polo. Nach ca. vierzig Minuten erreichten wir das Ziel. Die Feier fand in einem Restaurant direkt am Meer statt. In der Empfangshalle wurden uns Bonbons gereicht und ein paar kleine Andenken an die Hochzeit. Drinnen rannten verschwitze Kellner in dem großen Saal hin und her und trugen bereits das Essen auf. Die Gäste, die als erste gekommen waren, hatten bereits gegessen, während uns das Essen vorgesetzt wurde, kaum, dass wir Platz genommen hatten.

Hinter uns, in der linken Ecke des Lokals befand sich eine Bühne, auf der sich eine Band für ihren Auftritt vorbereitete. Es dauerte nicht lange, bis sie zu Spielen begannen – dies allerdings in einer Lautstärke, die die Rolling Stones vor Neid erblassen lassen würde, wenn sie es gehört hätten.

Von da an war keine Unterhaltung mehr möglich. Es war aussichtslos, sich mit seinem Tischnachbarn zu unterhalten, der praktisch direkt neben einem sass. Die griechische Folklore ließ alles, aber auch wirklich alles im Hintergrund versinken. Obwohl Angela und ich Musikliebhaber waren, tat dass, was die Jungens da boten, in den Ohren richtig weh – sie spielten in einer Lautstärke, die über die Schmerzgrenze hinausging.

Mittlerweile wurde der Hauptgang serviert.

Vom Brautpaar war jedoch immer noch nichts zu sehen. Später erzählte man uns, dass es der Braut zunächst nicht ganz gut ging, da die Luft in der kleinen Kirche sehr schlecht gewesen war, sodass sie knapp vor einem Kollaps stand. Kaum davon erholt, ging es zu einen Foto Shooting, bei welchem man jedes Zeitgespür verloren hatte.

Wir deutschen Gäste flüchteten derweil nach draußen an den Strand, denn die Luft in dem Restaurant war ebenfalls sehr stickig. Was uns aber tatsächlich vertrieb, war der unerträglich laute Sound dieser griechischen Combo. Kaum hatten wir es uns ein wenig gemütlich gemacht, kam zunächst einer dieser verschwitzten Kellner, der uns zu verstehen gab, dass er hier draußen nicht bedienen würde.

Kurz darauf erschien die aufgeregte Schwester der Brautmutter und erklärte uns, dass es doch sehr unhöflich sei, einfach während des Essens aufzustehen und den Tisch zu verlassen. Schließlich gab es jetzt den Hauptgang, nämlich Lamm. Unmissverständlich beförderte sie uns wieder zurück ins Lokal und deutete uns Platz zu nehmen. Das mit der Unhöflichkeit hätte sie, in meinem Augen, lieber ihrer Nichte erzählen sollen – denn das Brautpaar ließ abermals die gesamte Hochzeitsgesellschaft auf sich warten.

Die Musik hatte gerade eine Pause eingelegt, was aber nicht zwangsläufig bedeutete, dass es nun ruhiger in dem Saal zuging. – Nein, es wurde eine CD aufgelegt, die man mit einer ebenso ohrenbetäubenden Lautstärke abspielte.

Auf großen Tabletts wurde nun das Lamm herein getragen. Bei aller Hochachtung vor unseren Gastgebern: aber so etwas Widerliches hatte ich schon lange nicht mehr gegessen – besser gesagt, versucht zu essen.

Das Fleisch war wirklich so zäh, wie die besagte Schuhsohle. Außerdem war es dermaßen salzig, dass es einem die Unterhose zwischen die Arschbacken zog. Bei aller Liebe zum Essen, aber das hier, bekamen wir nicht hinunter.

Zu unserem ersten Glück, hatten wir nur ein kleines Stück Fleisch genommen, sodass es, so hoffte ich zumindest, nicht auffiel, dass wir davon nichts gegessen hatten.

Zu unserem zweiten Glück, traf nun endlich gegen Mitternacht das Brautpaar auf ihrer Hochzeitsfeier ein, sodass die meisten abgelenkt wurden und nicht mitbekamen, welche dramatische Szenen, wegen des Lamms, sich an unserem Tisch abspielten. Einige wussten nicht wohin damit. Es sollte ja nicht auffallen, dass auch sie es nicht verzehren konnten.

Natürlich bekamen nun auch die Hauptdarsteller des heutigen Abends etwas zu essen. Die gesamte Gesellschaft durfte ihnen dabei zusehen. Damit es nicht zu eintönig wurde, beschimpfte die Braut einen der Kellner, weil ihr Essen kalt war – kein Wunder nach einer zweistündigen Verspätung!

Aber das bekamen wir gar nicht so recht mit, weil auch ihr Geschrei Opfer der lauten Musik wurde. Danach gab es noch einmal die Gelegenheit das Brautpaar zu fotografieren, ehe der Brautvater mit seiner Tochter den Tanz eröffnete. Genau wie auf einer deutschen Hochzeit, ging es ziemlich zäh zu, bis einige Tanzlustige sich dazu gesellten – von wegen hier in Griechenland tanzen alle! Es dauerte eine ganze Weile und ein paar getöteter Gehörzellen später, bis Angela und ich, uns ebenfalls unter die Tanzenden mischten. Das geschah mehr aus Höflichkeit, denn aus Begeisterung über die immer noch in derselben Lautstärke spielenden Musik.

Die hatte mir ohnehin schon dermaßen den Abend verdorben, sodass ich keinen Alkohol trank, um plötzlich und fluchtartig den Ort des Geschehens verlassen zu können, wenn es mir dann total auf die Nerven ging. Es dauerte dennoch bis halb vier in der Frühe, bis wir uns verabschiedeten. Ohne Probleme bekam ich das Auto mit Gästen voll, die es nun auch nach Hause zog.

Es wäre wohl überflüssig zu sagen, dass wir für den zehnminütigen Heimweg, abermals, fast eine dreiviertel Stunde brauchte.

Zuhause, gegen halb fünf Uhr morgens angekommen, trank ich zunächst einmal ein Bier und versuchte den Tinnitus aus meinen Ohren zu bekommen – bei sanfter Musik aus dem Kopfhörer:

Rolling Stones „I can get no satisfaction!"

Das also war die super schöne tolle griechische Hochzeit, die wir keineswegs verpassen sollten und für die ich eine Reise von 57 Stunden (oder doch nur 56 Stunden) auf mich genommen hatte…?

Also, um ganz ehrlich zu sein:

Falls meine beiden, zurückliegenden Ehen an der Zeremonie meiner Hochzeitsfeiern gescheitert wären, dann gäbe ich diesem Paar hier auch keine große Chance, dass sie bis das der Tod sie schied, zusammen blieben. Was ich ihnen natürlich nicht wünsche.

... und wie gesagt, Reisen bilden nicht unbedingt. Eine solche Hochzeit hatte ich schon etliche Male in Deutschland miterlebt!

19 Nach der Hochzeit

Am Sonntag, dem 31. August wurde erst einmal bis nachmittags um drei ausgeschlafen. Die wilde Feier und das schwüle Wetter ließen uns einfach nicht wach werden.

Danach besuchten wir noch kurz unseren Badestrand und verabredeten uns mit den Brauteltern zum Abendessen in einem kleinen Fischlokal. Das war eine gute Gelegenheit sich zu revanchieren, dachten Angela und ich: Wir würden das Abendessen übernehmen, um uns für die Freundlichkeit zu bedanken, die uns allerorts entgegen gebracht wurde.

Doch zu unserem Erstaunen und Entsetzen zugleich, hatten sich gut zwanzig Leute um eine große Tafel, in dem Restaurant, versammelt. Es war die Verwandtschaft des Bräutigams, die von seinem Vater zum Essen eingeladen wurde.

In diesem Fall ließ ich meinen Geldbeutel stecken und bedankte mich am späten Abend mit zwei Flaschen Rezina und einer Flasche Ouzo bei unserem Gastgeber. Das freute ihn sehr. Wieder wurde es Mitternacht, bevor wir ins Bett kamen.

Am Montagabend sahen Angela und ich unsere zweite Chance, um uns bei unseren Gastgebern bedanken zu können. Helena und ihr Mann luden die deutschen Gäste zum Abendessen nach Orei ein, einer kleinen Hafenstadt, rund 10 Minuten entfernt von Pefki.

Wir waren zwölf Leute, die in drei Autos nach gut vierzig Minuten in dem Fischlokal ankamen.

Der Abend verlief ähnlich, wie der gestrige und wir waren abermals zu spät dran, um uns an dem Essen zu beteiligen. Der Bräutigam hatte hinter unserem Rücken die Rechnung bei dem ihm befreundeten Wirt bezahlt, sodass wir wieder einen kostenlosen Abend verbracht hatte.

Gegen halb zwei in der Nacht kamen wir nach Pefki zurück, wo die Gesellschaft noch zum Eisessen gehen wollte. Leider hatten schon alle Lokale geschlossen. Wir setzten uns in den Pavillon des Hotels Galini und tranken noch etwas. Dieses Mal war ich schneller und konnte zumindest diese Runde bezahlen. Obwohl das Hotel ebenfalls schloss, ließ man uns dort am Meeresufer bis drei Uhr morgens sitzen.

Pefki war zu Bett gegangen und die Straßen auto- und menschenleer. Wir entschlossen dennoch unser Auto am Hotel stehen zu lassen und liefen den kurzen Weg nach Hause.

20 Der fehlerhafte Reiseplan

Der Dienstagmorgen, der 02. September, begann mit leichtem Regen. Wir frühstückten deshalb auf unserem Balkon und bemerkten während unserer Unterhaltung, dass wir in unsere Reiseplanung einen Hund hinein gebracht hatten.

Wie sollte Angela von der Insel Evia nach Athen zum Flughafen gelangen, wenn ich in ein paar Tagen, zwei Tage vor ihr abreisen würde?

Schließlich würde ich das Auto mitnehmen, um es in Patra wieder abgeben zu können. Angela hatte ihren Flug zwei Tage nach meiner Abreise gebucht, damit wir wieder gemeinsam in München ankommen konnten. Wir wollten dann zusammen mit ihrem Auto zurück nach Isny fahren.

Dieser Plan war jedoch schon hinfällig, da ich Sonntagmorgens um sieben in München ankäme und sie erst abends um halb neun. Ich wollte keine achteinhalb Stunden auf sie warten und würde ohnehin mit dem Zug nach Hause fahren.

Also nahmen wir uns für den Nachmittag vor, einen Transfer für sie nach Athen zu organisieren. Wir konnten im ganzen Dorf kein Reisebüro finden. Erst nach mehreren Nachfragen, erzählte man uns, dass es in der Empfangshalle eines kleinen Hotels, so etwas wie eine Reiseauskunft gab.

Es fuhr tatsächlich dreimal am Tag ein Bus von Pefki nach Athen, doch leider zu solchen Zeiten, dass Angela ihr Flugzeug nicht mehr erwischen würde, oder aber, dass sie über 6 Stunden in Athen am Flughafen warten musste. Eine Taxifahrt kam aus Kostengründen, genauso wenig in Frage, wie das Mieten eines weiteren Autos.

Also gingen wir zunächst unverrichteter Dinge an unseren Strand. Nein, unverrichteter Dinge stimmt nicht ganz. Wir meldeten uns noch für den kommenden Freitag, zu einer Tagesausflugsreise mit dem Boot nach Kiriaki und Skiathos an.

Dann begann es plötzlich zu regnen. Wir flüchteten uns unter die Markise des Hotels, an dem wir immer badeten. Wir beschlossen die Zeit zu nutzen, um noch eine Kleinigkeit zu essen, während sich der Regen schlagartig zu einem Gewitter ausbreitete. Tropische Regenfälle, füllten die Markise so sehr mit Wasser, dass sie durchzureißen drohte. Der Wirt leerte sie immer wieder, indem er sie mit einem Tablett nach oben drückte. Für eine kurze Zeit war alles grau in grau und die Farben am Himmel wechselten ständig. Von den Dächern der Häuser stürzte das Wasser wie in Bächen herunter. Ich fand es ärgerlich, dass ich den Fotoapparat nicht dabei hatte – zu schön zeichnete sich das Farbenmeer am Himmel ab.

Nach einer knappen Stunde war der Spuk vorbei und wir konnten noch ein wenig schwimmen gehen. Das Wasser war nach diesem Regenschauer herrlich weich und es schien noch sauberer zu sein, wie davor.

21 Markttag in Istiea

Für den Abend war ein Ausflug nach Istiea geplant, wo ein großer Markt stattfand. Der war das Jahresereignis für die Inselbewohner, dem sie bereits den ganzen Tag lang entgegen fieberten.

Und so war es dann auch. Wir konnten kaum einen Parkplatz finden, es schien als ob alle Inselbewohner sich hier trafen. Irgendwo weit weg, vom eigentlichen Festplatz stellten wir unser Auto, irgendwie am Straßenrand ab und liefen zehn Minuten (es dauerte tatsächlich „nur" zehn europäische Minuten) zum Marktplatz.

Schon von weitem konnten wir die dunklen Rauchschwaden erblicken. Ich dachte zunächst, dass sie von Lagerfeuern herkamen. Aber der Rauch stammte von riesigen Holzkohlegrills, auf denen alles, was man sich vorstellen konnte gegrillt wurde: Obst, Gemüse, Hähnchen Grillspieße und natürlich Fleisch. Ich glaube nicht, dass diese Art, so das Essen auf einem öffentlichen Fest vorzubereiten, bei uns aus hygienischen Gründen erlaubt gewesen wäre.

Doch die Griechen schien dies nicht zu stören. Sie saßen in halb offenen Zelten inmitten dieser Rauchschwaden, unterhielten sich, tranken und aßen und waren gut gelaunt.

Der Geruch von etlichen Kräutern schwebte in der Luft und aus krächzenden Lautsprechern klang griechische Musik. An jedem Tisch wurde geraucht, obwohl das hier ja so eine Art Speiselokal war.

Also, „Zustände wie im alten Rom", würde der gemeine Mitteleuropäer wohl dazu sagen!

Um die Speisezelte herum waren weitere Zelte aufgebaut, in denen es alles, aber auch wirklich alles zu kaufen gab, was man für das alltägliche Leben so brauchte.

Angela nutzte die Gelegenheit, um sich eine Jogginghose zu kaufen.

Irgendwie kam mir auch hier das Szenario bekannt vor. Sie stand mit ihren Arbeitskolleginnen vor den Ständern mit den Kleidungsstücken. Genau wie daheim, musste sie sich in der Größe getäuscht haben. Denn wie kann man sich, besseren Wissens, an einen Ständer der Größe 38 stellen, wenn man genau weiß, dass die Größe 42 wohl eher der Wahrheit entsprach? Aber dieses Verhalten konnte ich nicht nur an ihr, sondern auch an all ihren Freundinnen feststellen – wozu also nach Griechenland verreisen, wenn das auf der ganzen Welt gleich ist?

Danach schlenderten wir so gemütlich über den Markt, wie es eben nur ging. Ständig wurde wir mal von rechts, mal von links angerumpelt oder mussten den Weg freigeben, für Leute, die es irgendwie eilig hatten. Es gab Fahrwerke für die Kinder und an manchen Ecken des Marktes musizierten eine paar Leute. Zu später Stunde bauten die Händler ihre Liegestühle hinter den Ladentheken auf, und richteten sich für die Nacht ein. Sie schliefen inmitten des Trubels und ihrer Marktstände.

Auch wir machten uns wieder auf den Heimweg. Und

wieder war es gegen halb drei Morgens, bis wir ins Bett kamen.

Am Mittwoch, dem 3. September, versuchen wir gegen halb eins mittags das erste Mal wach zu werden. Dann frühstücken wir auf unserem Balkon und beschließen, dass wir eine kleine Bucht in der Nähe von Eulinika, aufsuchen werden, die man uns gestern Abend empfohlen hatte. Sie galt als eine der schönsten Buchten an der Ostküste von Evia und lag, natürlich, nur 10 Minuten von Pefki entfernt. Die Fahrt dorthin führte zunächst ins Bergland von Evia und dann steil hinunter ans Meer. Wir hatten gut vierzig Minuten Zeit sie zu genießen, denn schließlich war uns bewusst, dass die angegebene Fahrtzeit wieder einmal nach griechischem Zeitgefühl erfolgte. Leider war die Bucht nicht so schön wie erwartet. Sie lag ziemlich unge-schützt vor dem offenen Meer, sodass der Wellengang etwas unruhiger war, als der in unserem Hafenbecken. Außerdem gab es weit und breit kein Lokal, wo man etwas trinken konnte und weite Teile des Strandes lagen im Schatten, sodass es mit dem Sonnenanbeten auch nicht funktionierte. Nach kurzer Zeit traten wir den Heimweg an und unterhielten uns darüber, wie subjektiv doch die Beurteilung von Dingen war, die die einen als überdurchschnittlich schön empfanden und andere, so wie wir, nichts daran finden konnten.

Wir fuhren noch einmal zum Bazar nach Istiea, da sich daheim heraus gestellt hatte, dass die Jogging-hose zu klein war. Der Händler, der wohl meinte, dass wir sie zurückgeben wollten, stritt zunächst sehr vehement ab, dass wir die Hose bei ihm gekauft hätten. Eine Unverfrorenheit, zumal vor uns etliche Hosen des gleichen Fabrikats lagen, wir genau dieselbe Tragetasche in den Händen hielten, die vor ihm auf einem Stuhl aufgebeugt waren. Es als er begriff, dass wir die Hose lediglich in einer anderen Größe haben wollten, tauschte er sie bereitwillig um. Gerade zum Trotz auf seine anfängliche Verlogenheit und Unfreundlichkeit, kaufte Angela noch die passende Joggingjacke dazu. Dann ließen wir ihn ungegrüßt zurück!

Zum Abschluss des Tages besuchten wir Maria in unserer Taverne. Dort fanden wir es inzwischen richtig vertraut, zumal uns alle, die einheimischen Stammgäste inbegriffen, mit einem freundlichen Hallo und den Händen winkend empfingen. An diesem Abend ließen wir so richtig die Sau raus und bestellten die Speisekarte rauf und runter. Für dieses ausschweifende Abendessen, hätten wir in Deutschland sicherlich an die hundert Euro bezahlt. Maria kassierte 36,50 ab und freute sich riesig über die fünf Euro Trinkgeld.

Den ganzen Donnerstag verbringen wir am Strand vor dem Hafen von Pefki, lesen, hören Musik, schwimmen oder sonnen uns. Es ist heute so warm und schwül, dass die Tusche in meinem Kugelschreiber so flüssig wird, dass sie ausläuft. Also kann ich keine weiteren Notizen mehr machen und widme mich dem Bier. Dann überrascht uns wieder ein tropischer Regenschauer. Dieses Mal habe ich die Kamera dabei,

um das zauberhafte Farbenspiel am Himmel zu fotografieren. Nur – nach dem zweiten Bild, sagt sie mir,
dass der Akku leer ist – na so ein Scheiß!
Morgen am Freitag den 05. September stand unser
Bootsausflug an. Wir konnten uns nicht so recht
vorstellen, ob wir tatsächlich um 8:30 Uhr am Hafen
sein würden, wenn man bedachte, dass wir während
der zurückliegenden Tage immer erst nach 13:00 Uhr
aufgestanden waren.

22 Bootsausflug nach Kiriaki und Skiathos

Nun sollten unsere Notfallhandys, die ich vor der
Reise gekauft hatte zum Einsatz kommen. Wir setzten sie als zusätzliche Wecker zu unseren normalen
Handys ein. Ich hatte noch zwei günstige Handys
besorgt, weil Angela immer wieder mit dem Akku
ihres Handys Probleme hatte. Bei meinem handelte
es sich ohnehin um ein Uralthandy, sodass auch hier
etwas Unvorhergesehenes passieren konnte. Und da
wäre es schon ein bisschen blöd gewesen, wenn wir
in Griechenland keine Verbindung hatten. Also gab
es nun, für unseren ersten Notfall sozusagen vier
Handys, die uns am nächsten Morgen wecken sollten,
was auch wirklich funktionierte. Wir waren tatsächlich pünktlich zur Abfahrt am Hafen.

Das kleine Ausflugsboot bot etwa 80 Leuten Platz,
dazu der Kapitän, zwei Servicemitarbeiter und drei
Matrosen. Da es schon am Morgen sehr schwül war,
setzte sich natürlich keiner der Passagiere in den
Innenraum des Schiffes. Sie fanden auf beiden Seiten
des Bootes, entlang der Reling Platz oder aber auf
dem Oberdeck, wo man allerdings meistens in der
Sonne saß.

Auf dem Hauptdeck konnte man am Ende des Schiffes, am Heck glaube ich als Landratte behaupten zu
können, waren noch zwei Bänke, die sich unter einen
Zeltdach befanden.

Die See war ruhig, und so machte es Angela nichts
aus, an diesem Ausflug teilzunehmen. Zu ihrer Beru-

higung fuhren wir zunächst nach Osten an der Nordküste Euböas entlang. Sie mochte es nicht, wenn sie auf dem offenen Meer unterwegs war, so hatte sie es mir einmal erzählt.

Nach einer knappen Stunde entfernte sich das Schiff von Euböa und steuerte auf Kiriaki zu, das nördlich von unserer Insel aus lag. Das Festland war schon am Horizont zu erkennen.

Die eigentlich eintönige Fahrt wurde durch ein paar Delphine aufgelockert, die in sicherer Entfernung unser Boot ein Stück weit begleiteten. Es war genauso, wie man es aus Fernsehberichten kannte. Sie schwammen schnell neben uns her und sprangen immer wieder aus dem Wasser – ein schönes Naturschauspiel.

Nach etwa einer weiteren Stunde erreichten wir einen wunderschönen Strand in der Nähe von Kiriaki. Das Boot legte an und wir konnten hier für die nächsten zweieinhalb Stunden zum Baden bleiben. Einer der Matrosen hielt ein Schild in die Höhe, worauf die Abfahrtszeit des Schiffes, nämlich 13:00 Uhr stand. Um vom Schiff zum Strand zu gelangen, mussten wir zunächst über die Hafenmole zu einer steilen Felswand ans Ufer laufen. Danach durchschritten wir das Wasser, welches sanft gegen die Felsen schwappte. Nach gut fünfzig Metern erreichten wir nun endgültig das Festland und wurden über eine Brücke in eine Touristenanlage geführt. Hier war es dann nicht mehr so wie in Pefki. Wir mussten für zwei Liegestühle und einen Sonnenschirm acht Euro bezahlen und die Getränke waren längst nicht so billig, wie an unserem Hafenstrand. – Touristenabzocke, ist wohl gemeinhin das richtige Wort dafür.

Dennoch, der Strand war traumhaft. Wir lagen unter Sonnenschirmen, die ebenso wie die Dächer der Bars mit Schilf bedeckt waren. Das Wasser war sehr warm, glasklar und hatte eine leicht grüne, türkise Oberfläche, wenn man hinaus in die Bucht sah.

Angela meinte, dass sie ein wenig so ein Karibikgefühl bekam und gönnte sich eine Rückenmassage am Strand. Möglicherweise hatte sie die Rückenschmerzen daher bekommen, weil wir einfach zu lange schliefen, oder aber, was nahe lag, weil die Matratzen in unserem Appartement nicht gerade die besten waren. Sie genoss es richtig, wie sie der kleine Chinese, welcher hier im Sommer sein Geld verdiente, durchmassierte.

Wie im Flug rannte die Zeit davon und ich drängelte Angela zur Pünktlichkeit, denn schließlich würde das Boot nicht unbedingt auf uns warten. „Eine Zigarette geht noch," war ihre Antwort, während ich beobachtete, wie sich das Schiff, welches nun wieder an der Hafenmole angelegt hatte, mit Menschen füllte.

Als der Kapitän und am Rande der Felswand erblickte, hupte er mehrere Male, um uns zur Eile anzutreiben. Wir rannten nun durch das Wasser, sodass meine Hose pitschenass wurde. Das machte mir aber nichts aus, da wir hier mittlerweile tropische

Temperaturen hatten.

Costas, einer der Matrosen, rief uns auf Englisch entgegen, dass wir eine viertel Stunde vor eins hätten am Boot sein sollen, was aber nicht auf seinem Schild stand. Wir eilten über die kleine Gangway und fanden noch auf der rechten Sonnenseite an der Reling – steuerbord sozusagen – zwei Plätze. Kaum waren wir auf dem Schiff, legte dieses auch schon ab, um weiter zur nächsten Insel, nämlich Skiathos zu fahren.

Skiathos, eine Insel mit knapp 50 Quadratkilometern Fläche und 6200 Einwohnern ist als Urlaubsinsel bekannter als die, mit 3660 Quadratkilometern Fläche und 220000 Einwohnern, zweitgrößte Insel Griechenlands Euböa. Das kommt daher, weil sie einen eigenen Flughafen hat. Auf Euböa wurde das verhindert, da diese Insel hauptsächlich als bevorzugtes Ausflugsziel und Urlaubsort der Athener gilt.

Zunächst fuhren wir an der Südküste von Skiathos entlang. Je näher wir der Hauptstadt Skiathos kamen, umso mehr Flugzeuge konnte wir am Himmel erblikken, die die Insel über das offene Meer anflogen. Als wir in den alten Hafen einfuhren, erblickten wir riesige Kreuzfahrtschiffe, die in den neuen benachbarten Hafen einliefen. Geradezu Angst einflössend, flogen die Flugzeuge, die uns nun zum Greifen nahe waren, über den Hafen hinweg und verschwanden zwischen den Bergen, um zu landen.

Uns standen nun weitere zwei Stunden zur Verfügung, um die kleine Hafenstadt zu erkunden. Wieder stand Costas mit seinem Schild an der Gangway, worauf stand, dass die nächste Abfahrt um 16:00 Uhr sein sollte. Er rief uns noch nach, eine viertel Stunde vor vier am Hafen zu sein. Mit einem freundlichen Lächeln deuteten wir an, ihn verstanden zu haben.

Es war brühend heiß auf Skiathos, sodass wir keine große Lust verspürten stundenlang hier herum zu laufen. Die Stadt war wirklich schön, mit ihren weißen Häusern und engen Gassen. Dennoch, es war schlicht weg zu heiß, und so suchten wir uns eine nette Taverne in einer der Nebengassen, wo wir zu Mittag aßen und etwas tranken.

Die Preise waren hier zwar etwas höher als in Pefki, aber uns schien das noch in Ordnung zu sein. Nicht in Ordnung fanden wir dann die Preise in einem kleinen Cafe' direkt am Hafen, wo wir noch einen Kaffe tranken.

Bei unserem kleinen Stadtbummel, fanden wir noch sehr schön aussehende Taschenuhren, von denen wir zwei mitnahmen. Diese Mal waren wir knapp eine halbe Stunde vor Abfahrt an Bord, was Costa mit einem fragenden Blick quittierte. Wir zeigten ihm die Uhren, und machten ihm klar, dass die für unsere Pünktlichkeit verantwortlich waren.

Darüber freute er sich sichtlich. Doch in Wirklichkeit hatten wir es auf die guten Plätze am Heck des Schiffes abgesehen, denn es stand uns noch eine dreistündige Heimreise bevor.

Nach und nach füllte sich das Boot. Unter den Passa-

gieren waren drei junge fesche Mädels, die mit den
drei Matrosen flirteten und einen riesigen Spaß hatte.
Die drei griechischen Gockel, die jetzt nur noch
Augen für die Mädchen hatten, vergaßen beim Able-
gemanöver darauf zu achten, was ihr Boot machte.
Das nämlich fuhr zu nahe an den Ankerleine des
benachbarten Schiffes vorbei und verfing sich mit
der rechten Schiffsschraube darin – steuerbordseitig
sozusagen.

Als sich das Seil ein paar Mal um die Schraube
gedreht hatte, bemerkte der vorne am Steuer stehende
Kapitän, dass etwas nicht in Ordnung war. Sofort
stellte er den Motor ab und rief etwas zu seinen
Matrosen nach hinten.

Denen fiel ganz plötzlich ihr geschwellter Hahnen-
kamm in sich zusammen und sie ließen die Mädels
einfach stehen, denn das nun steuerlose Boot hing am
Ankerseil des anderen Schiffes und driftete auf ein
zweites zu, das auf unserer Höhe neben uns an der
Hafenmauer lag.

Im letzten Moment konnten die drei große Bälle
zwischen die Bordwände der Schiffe werfen, sodass
die nicht zusammenstießen. Die Bälle wurden bis auf
ein Minimum zusammengedrückt, verhinderten aber,
was es zu verhindern galt. Kaum hatten die drei, nun
fieberhaft arbeitenden Matrosen einen Zusammenstoß
vermieden, erkannten sie, das die Gangway, welche
sie nur halb nach oben gedreht hatten, sich aufmachte,
um die Bordwand des Nachbarschiffes zu durchboh-
ren. Wie von der Tarantel gestochen drehten sie an

den Kurbeln, um die Gangway senkrecht zu stellen. Das gelang ihnen gerade so, als von Bord des Schiffes, an dessen Anker wir hingen, jemand ins Wasser sprang, um das Seil aus unserer Schiffsschraube zu lösen.

Rund um das Hafenbecken hatten sich inzwischen etliche Schaulustige eingefunden, die, die dramatische Situation beobachteten. Wir sahen das dicke Tau und das kleine Küchenmesser, mit dem der Taucher bewaffnet war und konnten uns nicht vorstellen, dass er damit wirklich Erfolg haben würde. Doch nach ein paar Tauchgängen gelang es ihm wirklich, das Tau durch-zuschneiden, während vorne – am Bug sozusagen - an Bord unseres Schiffes der Kapitän einem Gaffer das Tau zuwarf, damit der uns an der Hafenmole festmachen konnte.

Damit war das Schiff vorne fest, sodass es nicht mehr weg konnte, um andere Schiffe zu rammen. Das Heck des Bootes war noch gut drei Meter von der Hafenmauer entfernt. Zwischen Hafenmauer und Bootsheck bemühte sich immer noch der Taucher, das Seil aus der Schiffsschraube zu bekommen. Diese Situation schien einem der drei Leichtmatrosen nicht bewusst zu sein, denn er warf vom Heck aus, einem weiteren Gaffer ein Tau zu, damit er uns an Land ziehen sollte. Das brachte den Kapitän nun wirklich auf die Palme, denn der Taucher wäre wohl zwischen Hafenmauer und Schiffswand eingeklemmt worden. Nun rannte er wie von der Tarantel gestochen vom Bug zum Heck und entriss seinem Matrosen das Tau und warf es zu

Boden. In der Art eines Italieners, wenn der einmal in Rage gekommen war, schrie er ihn an. Obwohl wir kein griechisch verstanden, wusste wohl jeder hier auf dem Boot, was er seinem Untergebenen zu sagen hatte. Dem war danach für den Rest der Reise die gute Laune verdorben – und von den Mädels wollte er auch nichts mehr wissen.

Dem Taucher, der nur einen Schnorchel, eine Taucherbrille und Schwimmflossen hatte, sah man die Anstrengung nach mehreren Tauchgängen an. Immer wieder ging er hinunter, um das Seil zu lösen. Doch nun versagte das Küchenmesser seinen Dienst. Von einem anderen Boot kam ein Matrose angelaufen und warf ihm ein richtiges Kampfmesser zu, womit es gelang das Seil zu lösen.

Wie einst Tarzan aus den Fluten stieg, als er einen Leoparden im Kampf unter Wasser getötet hatte, so streckte auch er seine Trophäe, nämlich das durchtrennte Tau, aus den Fluten zu uns herauf. Das brachte ihm den Applaus der Passagiere und der umstehenden Menge ein.

Dann geschah etwas, was wir nicht so ganz verstanden. Ohne einen für uns ersichtlichen Dank an den Taucher, holte unsere Mannschaft die Leinen ein, der Kapitän gab Gas und wir traten die Heimreise an, während sich unser so sehr gescholltene Matrose in eine Ecke des Bootes verzog und schlechte Laune hatte.

Uns war es von der ganzen Schaukelei im Hafenbekken etwas flau geworden, sodass wir uns einen Ouzo gönnten, denn wir mit Wasser verdünnten, sodass er uns eine ganze Weile beschäftigte.

Die nun wieder sehr eintönige Fahrt wurde nur noch einmal von wildem Geschrei unterbrochen, als jemand meinte, wieder Delphine gesehen zu haben. Doch so sehr wir unsere Hälse auch strecken, wir konnten keine mehr erblicken.

Dann begann Costa damit einen Schnaps an die Passagiere auszuschenken. Das sei so Sitte, wenn man zur See fährt, erklärte er uns auf Englisch. Auch der gescholtene Matrose verließ sein Verlies und stieß mit den Gästen an. Nun waren alle wieder Freunde und die angebrochenen Flaschen wurden bis auf den Grund geleert.

Mit fast einer Stunde Verspätung liefen wir dann gegen 20:00 Uhr im Hafen von Pefki ein. Die Ankertau Aktion hatte uns doch einige Zeit gekostet.

Wir aßen noch in unserer Taverne, die auf dem Weg lag und gingen an diesem Abend ein wenig früher zu Bett, als an den davor liegenden Tagen.

23 ... noch ein paar Urlaubstage

Obwohl es immer noch, Anfang September, sehr heiß und schwül war, beschlossen wir heute einen kleinen Ausflug an die Westküste von Evia zu machen. Es gab hier unzählige kleine Dörfer, die direkt am Meer lagen. Und eben so viele kleine Buchten, in denen kaum Menschen anzutreffen waren, luden uns ein, dort zu verweilen. Wir suchten uns Gialtra aus, das direkt gegenüber vom Hafen von Loutra Edipsou lag. Auch hier galt, dass die Straßenschilder sehr spärlich waren und wir nicht genau wussten, ob wir uns auf dem richtigen Weg befanden. Die Straße führte immer wieder am Meer entlang. Dann ging es in die waldbedeckten Berge. In den trockenen Wäldern stießen wir auf einen Feuerwehrposten. Hier saßen zwei Männer, in einem kleinen Hochsitz, deren Aufgabe es war, die Umgebung nach Feuern abzusuchen. Wir waren uns sicher, dass das dürre Holz wie Zunder brennen musste, wurde es einmal entzündet.

Je tiefer wir ins Landesinnere kamen, umso mehr wurde uns bewusst, wie arm die Menschen hier sein mussten. Einmal fragten wir einen alten Mann nach dem Weg. Er war einer der wenigen, der kein Englisch sprach. Aber wir verstanden soviel, dass er Euros von uns haben wollte. Hier auf dieser Insel fiel es uns auch sehr schwer, die Menschen nach ihrem Alter einzuschätzen. Das harte Leben und die Sonne hatten ihren Tribut gezollt, sodass viele sehr alt und verschafft aussahen.

Letztendlich fanden wir doch unseren Strand und verbrachten dort einige Stunde, wieder ohne etwas für einen Sonnenschirm oder Liegen bezahlen zu müssen. Am Spätnachmittag trieb uns der Hunger dann nach Hause. Irgendwie waren wir der griechischen Küche überdrüssig geworden, denn in den spärlich eingerichteten Tavernen, bekamen wir meist die gleichen Speisen vorgesetzt. Angela hatte Hunger auf einen Wurstsalat und so kauften wir bei Lidl, den es hier auf der Insel auch gab, Würste und Brot ein, um am Abend einmal wieder schwäbisch zu essen.

Am Sonntag, dem 27. September hatten wir wechselhaftes Wetter. So kam es, dass wir den Tag auf unserem Balkon verbrachten. Abends gab es noch einmal Wurstsalat, ehe wir einen Spielabend einlegten. Gegen 23:00 Uhr zog es uns dann doch noch irgendwie aus dem Haus und wir machten uns auf, Maria in der Taverne ums Eck zu besuchen. An diesem regnerische Abend hatte sie nicht viele Gäste und wir setzten uns an den Stammtisch, der unter dem Vordach im Trocknen stand. Kurz darauf gesellten sich die Mitglieder von Marias Familie zu uns, da sie nicht sehr viel zu tun hatten. Und so kam es, dass wir richtigen Kontakt zu unseren Wirtsleuten bekamen. Es wurde ein feucht fröhlicher Abend, in dessen Verlauf uns Marias Oma erzählte, dass sie lange in Hamburg gelebt hatte – plötzlich sprach sie in einem fließenden deutsch mit uns. Sie klagte ihr Leid, dass sie, die armen Leute, nur sehr mühsam über die Runden kämen. Wie überall auf der Welt, wurden auch in Griechenland die Reichen immer reicher und die Armen immer ärmer.

Aber sie teilten, das wenige, was sie hatten gerne mit uns. An diesem Abend hörten sie irgendwann einfach auf, zu kassieren. Immer mehr Griechen gesellten sich zu uns. Marias Vater gab seiner Tochter immer wieder kleine Zeichen, und sie lief los und holte Bier, Wein und Schnaps.

Janosch der Koch, erzählte uns, dass er schon in Australien und England gelebt hatte. Er sprach perfekt englisch. Andere, etwas ältere Männer konnten weder deutsch noch englisch, also redeten sie griechisch. Und so unterhielten wir uns dreisprachig an diesem Abend und verstanden uns ausgezeichnet dabei.

Gegen halb eins musste ich Angela nach Hause bringen. Das Durcheinandertrinken, war sie nicht gewohnt und so gab sie uns zu verstehen, dass sie ins Bett müsse.

Sofort wollte einer der Gäste mir sein Auto leihen, damit ich sie nach Hause fahren konnte. Ich lehnte dankend ab, denn auch ich hatte in der Zwischenzeit einiges getrunken. Außerdem war unser Ferienappartement gleich um die Ecke, sodass ich sie schnell zu Fuß heimbrachte. Ich ging noch einmal zurück zur Taverne, wo die anderen mich mit großem Hallo empfingen. Die Marias Oma wollte mir nicht glauben, dass ich im nächsten Jahr 60 Jahre alt werden würde. Sie schätze mich auf vierzig. Das verstand ich gut, denn wie gesagt, das harte Leben und die ständigen Sonnenstrahlen ließen die Menschen hier so alt, oder älter aussehen, wie sie wirklich waren.

Irgendwie hatte sie sich auch eingebildet, dass sie mich vom Film her kannte und so sprach sie immer vom Schauspieler, wenn sie mich meinte.

Der Koch erzählte noch, dass er in England und Australien drei mal verheiratet war. Aber irgendwie gefiel es ihm hier, in seiner Heimat am besten.

Ich fragte nicht nach, ob er sich nicht vielleicht wegen der Unterhaltszahlungen auf dieser Insel versteckte. Aber offensichtlich lebte auch er in ärmlichen Verhältnissen, sodass bei ihm sicherlich nichts zu holen war.

Es musste wohl so gegen drei Uhr morgens gewesen sein, als mich dasselbe Schicksal wie Angela ereilte. Schlagartig merkte ich nun auch den Alkohol und verabschiedete mich kurz entschlossen, um ebenfalls nach Hause zu gehen.

Freundlich winkten sie mir alle hinterher, derweil ich mich bemühte noch irgendwie aufrecht zu gehen.

Montag 08. September

Schlecht, schlecht, schlecht!!!

Mein Gott war mich übel an diesem Morgen, oh Verzeihung an diesem Nach-mittag um 15:00 Uhr, als ich Alkoholleiche langsam zu mir kam. Das Durcheinandertrinken war wirklich nicht gut. Dennoch überwanden wir uns, um an unseren Strand zu gehen. Das Wetter war herrlich und unsere Mitstreiter von gestern Abend, waren bereits wieder fleißig in ihrem Lokal am Arbeiten. Wie immer winkten sie uns zu und gaben uns das Gefühl, dass es sie freute uns zu sehen.

Die Freude war ganz auf unserer Seite, denn obwohl sie so bescheiden lebten, waren sie stets freundlich und lustig.

Als wir am Abend in dem Fischlokal zum Essen gingen, in dem wir mit der Familie des Bräutigams gegessen hatten, gab man uns zu verstehen, dass die Feriensaison nun zu Ende sei und es nicht mehr alles zu essen gab, was wir noch ein paar Tage zuvor bekommen hatten. Man trug uns eine Art Notverpflegung auf, die einfach nur widerlich schmeckte.

Selbst bei großzügiger Überlegung, dass uns das Essen wegen des Vortages nicht schmeckte, war dem nicht so. Es schmeckte einfach nicht und die Wirtsleute schienen auch keine Lust mehr zu haben richtig zu kochen.

Am Himmel steht der Vollmond und mir wird klar, was die Ursache für unseren gestrigen Absturz war. Den Dienstag verbrachten wir noch einmal an unserem Hafenstrand in Pefki. Wir hatten uns entschlossen umzuziehen. Damit Angela keinen Stress bekam zum Flughafen zu kommen, hatten wir uns auf der Landkarte den kleinen Ort Porto Rafti östlich von Athen ausgesucht. Von dort aus waren es nur zwanzig Minuten zum Flughafen. Außerdem konnte sie ein Taxi nehmen, sodass sie in zwei Tagen völlig entspannt zum Flughafen in Athen gelangen würde.

Danach machten wir noch einige Besorgungen in einem der drei Supermärkte. Angela wollte unbedingt eine Spezialkaffeekanne, in der sie griechischen Kaffee zubereiten konnte. Den hatte sie, ein paar Tage zuvor, zusammen mit Helenas Mutter gekocht, und der hatte es ihr angetan. Ich kaufte ein paar Flaschen Wein und eine Flasche Ouzo.

Dann machten wir einen kleinen Stopp bei Maria. Die ganze Familie war sehr beschämt, als ich ihnen die Geschenke überreichte. Das war als ein kleines Dankeschön für den Sonntag Abend gedacht. Die Oma fragte, was wir denn dafür als Gegenleistung erwarteten, sie verstand meine Geste nicht gleich. Wir erklärten ihr, dass wir morgen abreisen mussten, und noch zum Frühstück vorbei kommen wollten. Das freute sie sehr und sie versprach, sich noch einmal sehr anzustrengen, damit wir zufrieden wären.

Am Donnerstag, würde ich das Auto in Patra abgeben müssen, um mit der Fähre zurück nach Bari zu fahren. Angela würde am Samstag von Athen aus nach München fliegen, wo wir am gleichen Tag eintreffen wollten, so wie es geplant war.

Angela war den ganzen Abend lang traurig, weil der Urlaub seinem Ende entgegen ging. Wir hatten uns so sehr an diese Insel gewöhnt, dass wir am liebsten hier geblieben wären. – Aber die Pflicht rief in Deutschland, und so gab es kein Erbarmen: Morgen früh wird abgereist!

Wir packten schon einen Teil der Koffer, tranken noch ein Glas Wein und gingen zu Bett. Kurz vor dem Einschlafen flüsterte sie mir noch zu: "Ich will aber hier bleiben."

24 Der Tag der Abreise

Mittwoch, 10. September
Die Fähren von Loutra Edipsou nach Arkitsa gingen im Zweistunden-Takt immer zur ungeraden Stunde. Wir hatten uns für die um 13:00 Uhr entschieden. Mühsam wie immer kamen wir aus dem Bett und packten noch eilig alles zusammen. Angela hatte echt schlechte Laune, da sie gerne noch hier geblieben wäre. Wir verstauen alles im Auto und verabschieden uns von unseren Vermietern, ehe wir zu Maria in die Taverne gingen. Es gab Omlette vom Feinsten und Kaffee ohne Ende.
Die gesamte Tavernen-Crew ist da, um uns zu verabschieden. Für das gestrige Geschenk revanchiert sich Marias Mutter mit einem großen Glas Oliven. Es dauert ein wenig, bis sie es abgefüllt hat – aber aus Höflichkeit warten wir, bis sie damit fertig ist. Maria selbst kassierte drei Euro für das gesamte Frühstück, was natürlich viel zu wenig war.
Die Zeit wurde wieder knapp, denn noch mussten wir fast vierzig Minuten nach Edipsou fahren.
Dann brachte sie uns das Geschenk und wir lagen uns in den Armen – Küsschen hier – Küsschen da – großes Versprechen, dass wir noch einmal kommen würden - Mensch Angela, wir müssen los!
Endlich konnten wir uns losreißen, fuhren noch einmal an unserem Hafenstrand vorbei, wo gestern unserer Wirt das erste Mal beim Baden war. Er hatte uns erzählt, dass er seit Mai in Pefki war und erst

jetzt, da die Saison zu Ende ging, zum Schwimmen
kam. Wir glaubten es ihm, denn seine Haut war so
weis, wie das Fell eines Eisbären.

„Gib Gas!", stachelte mich Angela an, „wir verpassen
sonst noch die Fähre und ich habe keine Lust, zwei
Stunden in Edipsou rumzuhängen." Also prügelte ich
den kleinen Volkswagen über die schlechten Straßen,
so gut es eben ging.

In Edipsou angekommen, besorgte Angela die Fahrkarten, während ich rückwärts auf die Fähre fuhr
– man kannte sich ja schießlich aus, wie das in Griechenland funktioniert. Kaum war Angela an Bord,
wurde auch schon die Rampe am Heck – hinten - des
Schiffes hochgezogen und wir legten ab. Von Deck
aus konnten wir riesige Schwärme von unheimlich
großen Qualen beobachten. Angela fand, dass sie
ekelhaft aussahen, mir machte das weniger aus, war
ich doch in sicherer Entfernung. Ein Passagier erklärte
uns, dass es an den Termen lag, warum sie sich hier so
wohl fühlten.

Auch ohne Terme, war es immer noch sehr warm.
Also setzten wir uns an ein schattiges Plätzchen und
tranken Kaffee Frappe, einen griechischen Kaffee, der
kalt getrunken wurde.

Obwohl die See relativ ruhig war, wurde es Angela
ein wenig schlecht, sodass ich mich an unseren
Schiffsausflug von letzter Woche erinnerte. Es war
Tradition, dass man an Bord eines Schiffes, ein
Schnäpschen trank! Doch nicht auf dieser Fähre!
Es gab keinen Alkohol und so musste Angela tapfer

bleiben und die rund fünfzigminütige Überfahrt so überstehen. Wir setzten uns nun oben aufs Deck, wo uns ein sehr frischer Wind um die Ohren blies. Das tat ihr gut und wir konnten auch gut beobachten, dass es nicht mehr allzu weit nach Arkitsa war.

Dort angekommen, hielten wir uns nicht weiter auf und fuhren Richtung Athen. Angela hatte nun keine Lust mehr ohne mich zwei weitere Tage in Griechenland zu bleiben. Sie kam auf die Idee ihren Rückflug vor zu verlegen. Dieses mal fand ich den Flughafen sofort, schließlich kannte man sich ja aus in Griechenland und wusste, dass es bereits dreißig Kilometer vor Athen links weg ging.

Am Lufthansa Schalter erfuhren wir, dass die Umbuchung vierhundert Euro kosten würde. Soviel hatten Hin- und Rückflug nach Griechenland nicht einmal gekostet. Wir waren nicht bereit diesen überzogenen Preis zu zahlen und beließen die Buchung so wie es war – nämlich Rückflug am Sonntag, dem 14. September!

„Am Sonntag?", schaute ich Angela ziemlich verdutzt an und sie fragte mich:

"Warum, zum Teufel, hast du immer den Samstag als Abreisetag im Kopf?"

„Das weiß ich doch nicht,"antwortete ich. Ich hatte da wohl echt was durcheinander gebracht! "Da hätten wir ja doch noch einen ganzen Tag in Pefki bleiben können! – Du hast mir einen Tag im Paradies gestohlen!"

Das meinte sie so wirklich ernst und war ziemlich sauer auf mich. Ehe sie mich, zu Recht, einen blöden Trottel heißen konnte, fiel mir ein, dass sie unbedingt noch die Akropolis besuchen wollte.

Doch heute war es dazu eigentlich schon zu spät. Außerdem waren wir verschwitzt und ziemlich Müde von der Fähr- und Autofahrt. Also redete ich ihr ein, dass ich ihr einen tollen Tag in Athen geschenkt hätte, den wir morgen dort verbringen könnten. Die Idee fand sie ziemlich gut, da sie unter keinen Umständen erst in der Dunkelheit ein Hotel suchen wollte.

Wir aßen und tranken noch ein wenig im Flughafengebäude und informierten uns noch über die Möglichkeiten eines Athenbesuches. „Fahren sie ja nicht mit dem Auto nach Athen, da finden sie nicht mehr heraus!", war der erste Ratschlag, den die Touristikfachfrau uns gab. „Oh, schon wieder so eine, die keine Ahnung hat!", ging es mir durch den Kopf. Ich hatte schließlich eine Stadtfahrt mit dem Auto durch Athen mit Bravour bestanden!

Ich tat ihr Unrecht. Im weiteren Verlauf des Gesprächs gab sie uns wirklich kompetente Auskünfte. Wir bedankten uns und versuchten den Weg nach Porto Rafti zu finden. Auch das gelang uns sehr gut. An der ersten Tankstelle fragten wir nach einem Hotel, in dem wir einige Minuten später eincheckten.

25 Zwischenstopp in Porto Rafti

Porto Rafti, ein Ort mit ca. 10000 Einwohnern liegt etwa 35 Kilometer von Athen entfernt, an der Ostküste Griechenlands. Ihren Namen hatte sie von der dem Ort vorgelagerten Insel Rafti. Hier gab es, wie eigentlich überall, wirklich schöne Strände. Nur erschien uns diese Gegend sehr touristisch zu sein. Obwohl die Saison schon zu Ende war, hatten sie doch erheblich höhere Preise, wie auf der Insel Evia.

Wie gesagt, wir checkten im Hotel Sea Sight ein. Obwohl wir den Eindruck hatten, dass das Hotel ziemlich leer war, tat der lackierte Affe an der Rezeption so, als ob er keine Zimmer mehr frei hatte. Zunächst wollte er uns ein Zimmer für eine Nacht anbieten. Wir sollten danach in ein weiteres Zimmer umziehen, weil alles so kompliziert war!

Angela drohte damit, ein anderes Hotel zu suchen, was in ihm eine wundersame Wendung vollzog. Plötzlich hatte er doch noch ein Zimmer parat, das unseren Wünschen entsprach. Im Laufe des Abends stellte sich heraus, dass außer uns nur noch ein weiteres Paar, hier zu Gast war!

Dennoch das Zimmer war in Ordnung und der Strand lag direkt über der Straße, sozusagen vor der Haustüre. Und es gab eine direkte Taxi-Verbindung nach Athen zum Flughafen.

Wegen des blöden Getues beim Check-in, waren wir nicht geneigt in diesem Hotel zu Abend zu essen.

Wir machten noch einen kleinen Spaziergang durch den Ort und fanden eine kleine Taverne in die wir einkehrten. Alles hier sah ziemlich ärmlich aus. Das Städtchen hatte keinen richtigen Charme, obwohl die Bucht und die wilde Landschaft außen herum traumhaft schön waren. Zurück vor dem Hotel, konnten wir sehen, dass kein einziges Licht in den Zimmerfenstern brannte – also hatte der uns doch verarschen wollen – sehr touristisch, wie bereits bemerkt.

Am Donnerstag Morgen frühstückten wir in einem kleinen Restaurant, welches uns am Vorabend aufgefallen war. Zunächst erschraken wir an den Preisen, die sie hier auf ihrer Karte hatten.

Wir bestellten griechischen Kaffee und dazu einen Toast mit zwei Bestecken.

Ungläubig schaute uns die Bedienung an, und fragte noch einmal nach, ob wir wirklich nur einen Toast haben wollten – ja, das wollten wir, da auch dafür der Preis ziemlich überzogen war. Es dauerte sehr lange bis sie mit den zwei Kaffees und den zwei Toasts kam. Wir machten sie darauf aufmerksam, dass wir nur einen Toast bestellt hatten. Irgendwie wollte sie sich heraus reden, dass sie kein gutes Englisch sprach und uns deshalb wohl missverstanden hätte.

Eine am Nachbartisch sitzende Australierin bemerkte, dass die Bedienung uns sehr wohl verstanden hatte, schließlich fragte die ja noch einmal nach, ob wir wirklich nur einen Toast haben wollten.

Obwohl sie überführt war, machte sie keine Anstalt, den Toast zurück zu nehmen. So etwas würde uns bei

Maria nie passieren, davon waren wir überzeugt!
Notgedrungen aßen wir also beide Toasts, die nicht
einmal gut waren. Es erübrigt sich wohl an dieser
Stelle zu sagen, dass sie keinen Cent Trinkgeld von
uns bekam.
Alles sehr touristisch hier – so eine Scheiße!

Wir unterhielten uns noch ein wenig mit der Australierin, die sehr viel in ihrem Leben gereist war und nun
in Athen wohnte. Sie kam an den Wochenende wegen
der schönen Landschaft hier her. „Aber Freiburg", so
sagte sie, „ist auch sehr schön", als wir ihr erzählten,
dass wir aus Süddeutschland kamen.
Dann musste sie ihren Bus bekommen und verabschiedete sich ziemlich schnell. Gelegenheit für uns,
zurück zum Hotel zu gehen, wo wir uns noch für ein
paar Stunden an den Strand legten.

Am Nachmittag wollten wir dann die Akropolis besuchen...

26 Ein paar Stunden in Athen

An der Rezeption unseres Hotels, ließen wir uns
erklären, wie wir am besten nach Athen gelangen
konnten. „Fahren sie nur nicht mit dem Auto in die
Stadt, das ist ein großes Chaos!", war wieder einmal
die erste Antwort die wir bekamen. „Ich weiß nicht",
dachte ich bei mir, „was haben die bloß immer mit
ihrem geschissenen „Fahren sie bloß nicht mit dem
Auto in die Stadt?"
Nun gut, es gab in etwa 15 Kilometern Entfernung
eine S-Bahn-Station. Dort sollten wir unser Auto
auf einen Park and Ride - Parkplatz abstellen und
dann die etwa vierzigminütige Bahnfahrt nach Athen
wagen. An der fünften Haltestelle galt es umzusteigen,
um dann nochmals drei Station weiter, bis ins Zentrum von Athen zu fahren.
Wir fanden den riesigen Parkplatz tatsächlich nach
fünfzehn Kilometern. So viele Autos auf einmal, hatte
ich selten gesehen. Wenn man das hier sah, konnte
man davon ausgehen, dass Athen autolos sein musste,
denn alle schienen mit der S-Bahn in die Hauptstadt
zu fahren.
Dementsprechend groß war dann auch der Andrang an
der Zughaltestelle.
Wir kauften uns Fahrkarten und versuchten auf dem
S-Bahn-Netzplan unsere Reiseroute nachzuvollziehen.
Es gab eine blaue Route, die direkt, ohne Umstieg, ins
Zentrum fuhr. Umsteigen mussten wir nur dann, wenn
wir die violette Route nahmen.

Wieder einmal waren wir pünktlich auf die Minute am Bahnsteig. Theoretisch hätten wir in den Zug einsteigen können, um loszufahren. Theoretisch – denn kaum hatten wir uns bei den Wartenden eingereiht, kam ein wichtiges Männchen daher und wusste zu berichten, dass der Zug zwanzig Minuten Verspätung haben würde. Letztlich wurde daraus eine halbe Stunde, bis ein blau angestrichener Zug in den Bahnhof einfuhr.

Das verwirrte Angela so sehr, dass sie der Auskunft unserer Hotelangestellten nicht mehr glauben mochte: Sie war sich sicher, dass wir in dem Zug saßen, der direkt ins Zentrum fuhr.

Wie konnte sie nur annehmen, dass es in Griechenland eine solch perfekte Organisation gab, wenn hier schon zehn Minuten mehr als eine halbe Stunde dauerten. Ich hatte Mühe, sie aus dem Zug zu bekommen, denn sie war sich sicher: blaue Route bedeutet blaue Züge. Erst als ich sie aus dem Zug schupste und sie die Schilder der nächsten Haltestellen sah, war auch sie sich sicher, dass wir gut daran getan hatten, auszusteigen.

Nach gut einer Stunde Zugfahrt erreichten wir das Zentrum von Athen. Wir stiegen am „Syntagma Square" aus. Der Syntagma Square ist einer der belebtesten Plätze in Athen. Dort steht auch das Parlamentsgebäude. Viele sagen, dass dieser Platz zu den Juwelen der griechischen Hauptstadt zählte.

Und tatsächlich: Hier, im schön angelegtem Park, tummelten sich Menschen aller Nationen. Als wir das Parlamentsgebäude hinter uns ließen, gelangten wir in die Innenstadt, mit unzähligen kleinen Gassen. Neben modernen Geschäften, fanden wir wirklich altertümliche Läden, die uns an den Orient erinnerten. An jeder Ecke gab es Cafes und Restaurants, die zum Ausruhen einluden.

Und Autos gab es auch – kaum zu glauben aber wahr. Obwohl sie alle an den Park und Ride Parkplätzen standen, war die Stadt voller Autos und - Motorrollern.

An den Fußgängerüberwegen hatten stets drei bis vier Polizisten zu tun, dass alles reibungslos vonstatten ging. Trotz der scheinbaren Hektik, waren die Menschen unaufgeregt und immer freundlich, wenn wir sie nach dem Weg fragten.

An einem der vielen kleinen Händlerständen kauften wir uns ein Stück Kokosnuss, als Snack für zwischendurch.

Dann fragten wir, wie wir zur Akropolis gelangen konnten. Die erste Frage war dann immer, wohin an die Akropolis wir denn gerne wollten. Die Akropolis sei nicht nur ein Ort, sondern sie verteilte sich in der ganzen Stadt.

Angela wollte auf den Berg, welchen man bei uns daheim von Postkarten her kannte. Man gab uns eine grobe Richtung an, und sagte uns, dass wir immer wieder fragen sollten wohin es ging. Es gab viele kleine Eingänge.

Überall musste Eintritt bezahlt werden. Aber oft sah man nur kleine Teilbereiche, so wie das alte Thermalbad oder das Kolosseum. Der eigentliche Hang, auf dem die Tempelanlage stand, war mit Bäumen zu gewachsen, sodass wir tatsächlich bis nach oben laufen mussten, um das zu sehen, was wir sehen wollten.

Es war auch hier in Athen schwül warm und wir hatten vergessen etwas zu Trinken mitzunehmen. Als wir oben vor dem Haupteingang ankamen, mussten wir zunächst etwas trinken. An einem kleinen Kiosk gab es allerlei Getränke, allerdings sehr, sehr teuer. Wir kauften dennoch zwei Getränke und setzten uns erst einmal auf ein Bank, von wo aus wir den beginnenden Sonnenuntergang beobachteten.

Mittlerweile war es 19:00 Uhr geworden, als ich am Eingang nachfragte, was der Eintritt denn kosten sollte. Sie verlangten 14 Euro pro Person, und: „Wir machen in einer halben Stunde zu!" Wegen einer halben Stunde, fast dreißig Euro zu bezahlen, erschien mir ein wenig zu viel. Doch sie ließen nicht mit sich handeln. Angela ermutigte mich die Karten zu kaufen, denn schließlich waren wir nun schon hier oben. Sie wollte unbedingt zu den Tempelanlagen.

Und sie sollte recht behalten:

Der Ausblick über Athen, von ganz da oben auf dem Berg, da wo sich der Tempel befand, war einfach nur sensationell. Die untergehende Sonne zauberte ein Farbenspiel an den Himmel und dort unten lag die Stadt majestätisch vor uns.

Wir hatten einen dreihundertsechzig Grad Rundblick, auf der einen Seite bis zum Meer, auf der anderen Seite ins Landesinnere, das war nur noch schön! Natürlich war auch die Akropolis mit ihren gewaltigen Bauwerken sehr beeindruckend. Leider war die Hauptansicht des Tempels durch einem riesigen Baukran versperrt. Dennoch ließ sie in mir den Gedanken aufkommen, wie klein und vergänglich wir Menschen eigentlich sind.

Von hier oben hatten wir einen tollen Blick auf das Amphibientheater. Dort waren sehr viele Leute mit der Vorbereitung einer Musikaufführung beschäftigt. Es gab eine richtig große Bühne, mit modernster Lichtanlage. Auf jeden der Steinplätze, im großen Rund, legten sie bequeme Kissen, während unten die Musiker mit dem Sound-Check beschäftigt waren. Das grandiose Abendlicht verzauberte die Arena förmlich, aber auch die modernen Lichter gaben dieser Stätte einen ganz besonderen Charme. Irgendwo vom Haupteingang klang eine Glocke zu uns hinauf, die, die Besucher aufforderte das Gelände zu verlassen. Nur zögerlich waren die bereit nach hause zu gehen und so kam es, dass wir uns doch noch eine gute Stunde hier oben aufhielten.

Auf den Weg hinunter in die Innenstadt von Athen, kamen wir immer wieder an Straßenmusikern vorbei, die sich so ein wenig Geld verdienen wollten. Relativ schnell wurde es nun dunkel, und die Stadt mit ihren tausend Lichtern erschien uns in einem ganz anderen, aber dennoch zauberhaftem Licht. In den

engen Gassen schlossen die kleinen und auch großen
Geschäfte so nach und nach. Am Ende einer Seiten-
gasse erblickte ich ein Lokal, welches förmlich dazu
einlud, hinein zu gehen. Es lag in einem Innenhof,
zwischen den hohen Häusern. Überall standen Bäume,
unter die man sich hinsetzen konnte.
Freundliche Kellner begrüßten aus direkt am Eingang
und führten uns zu einem netten Plätzchen, von wo
aus wir das gesamte Treiben der Angestellten und
auch der Gäste beobachten konnten. Natürlich gab
es auch hier Spezialitäten vom Grill, sowie es sie in
dem kleinen Dorf Pefki auf Evia gab. Nur hier koch-
ten Pofis. Uns gefiel, dass es als Beilage nicht nur
Pommes gab, die uns mittlerweile schon zu den Ohren
heraus wuchsen.
Zu einem richtig guten Wein aßen wir ein richtig gutes
Essen. Das kam schon einer Drei-Sternenküche nahe,
was uns hier geboten wurde.
Dieser Ausflug nach Athen hatte sich wirklich
gelohnt. Angela war mir nicht mehr böse, dass ich sie
um einen Urlaubstag auf ihrer Trauminsel, im Paradies, gebracht hatte.
Gegen halb elf erreichten wir wieder den Syntagma
Square. Der war immer noch so belebt, wie in der
Mittagszeit. Rund um den Platz konnten wir nun
Brunnen erblicken, die mit bunten Lichtern beleuchtet
waren. Auch hier spielten Straßenmusiker. Zwischen
den vielen Menschen, erblickten wir ein paar Bettler,
die uns daran erinnerten, dass auch hier in Athen nicht
alles Gold war, das glänzte.

Die S-Bahnstation am Syntagma Square, mit ihren antiken Gewölben war ein Kunstwerk für sich. Bei den Zügen kam es immer wieder zu Verspätungen, doch dieses Mal erwischten wir einen, mit dem wir ohne Umsteigen zu müssen, bis an unser Ziel gelangten.

Gegen Mitternacht trafen wir wieder an der riesengroßen Brücke ein, die Teil des Parkplatzes war. Wir mussten uns zunächst orientieren, wo wir das Auto abgestellt hatten, denn nach wie vor, waren hier fast alle Parkplätze belegt. Das Auto stand den ganzen Tag dort, ohne, dass wir etwas bezahlen mussten. Das fanden wir sehr beeindruckend.

Morgen früh würde ich Porto Rafti verlassen, um das Auto in Patra abzugeben. Der Rückgabetermin war um 13:45 Uhr. Ich konnte nicht so recht einschätzen, wie lange ich für die 180 Kilometer dorthin brauchen würde, denn schließlich hatte ich wegen meiner Stadtrundfahrt durch Athen, auf dem Hinweg, vier Stunden benötigt. Ich beschloss am nächsten Tag um 9:00 Uhr abzureisen. Das wiederum bedeutete, dass wir früh aufstehen mussten. Also nahmen wir zum Abschluss des Tages nur noch einen kleinen Drink in der kleinen Taverne in Porto Rafti.

Etwas Wehmut gesellte sich zu uns, als uns gewahr wurde, dass dieser wirklich schöne Urlaub nun endgültig zu Ende ging, während die Wellen des Meeres sanft gegen das Ufer schlugen...

27 Porto Rafti - Patra

In aller Hektik packte ich am nächsten Morgen meine
Koffer. Obwohl Angela gerne ausschlief, war sie aufgestanden, um unten im Hotel mit mir gemeinsam zu
frühstücken.

Irgendwie waren die Hotelangestellten nicht darauf
eingerichtet, dass an diesem Morgen vier, anstatt sonst
nur zwei Gäste zum Frühstück kamen. Wir sahen
einen Kellner durch den Seitenausgang verschwinden.
Er fuhr zum nahegelegenen Supermarkt und kaufte
noch schnell irgendwelche Dinge zum Frühstück ein.
Wir bekamen beide vorab eine halbe Tasse Kaffee
hingestellt: "Irgend etwas stimmt mit der Kaffeema-
schine nicht, wir bemühen uns, sie zum Laufen zu
bringen!"

Es dauerte ziemlich lange, bis sie uns dann doch noch
ein tolles Frühstück hinstellten, derweil meine Zeit
davon lief.

Es ging bereits auf elf Uhr zu, bis ich endlich starten
konnte. Ich merkte, dass es Angela nicht so recht wohl
dabei war, dass ich sie hier alleine zurück ließ. Als
ich sie winkend neben den Mülltonnen des Hotels im
Rückspiegel meines Autos stehen sah, kamen auch
mir ein paar Abschiedstränen. Aber es half ja alles
nichts, einmal war alles vorbei – auch ein schöner
Urlaub.

Doch ich mußte stark sein. Durch das überlange
Frühstück hatte ich kostbare Zeit verloren. Mir blieben jetzt nur noch zwei dreiviertel Stunden, um die

180 Kilometer nach Patra zu bewältigen. Also putzte ich mir die Tränen aus den Augen, um klare Sicht zu haben und gab Gas, während sie immer noch am Eingang des Hotels stand und mir nachwinkte.

Mir war klar, dass ich mich auf keinen Fall verfahren durfte. Denn bei einer verspäteten Abgabe des Autos, hätte ich noch einen vollen Tag nachzahlen müssen.

Also unterließ ich es links nach Athen abzubiegen und folgte der Autobahn A6 in Richtung Elefsina.

Hier, um Athen herum, waren die Autobahnen noch in einem guten Zustand und ich kam zügig voran. Die Fahrt ging entlang des Golfes von Megara, der links von mir lag. Je weiter ich mich von Athen entfernte, umso schlechter wurde die Autobahn. Auch hier reihte sich eine Baustelle an die andere. Keiner der Griechen hielt sich an die Geschwindigkeitsbegrenzung. Obwohl man hier fünfzig fahren sollte, waren alle mit achtzig oder hundert Kilometern pro Stunde unterwegs. Ich passte mich so gut es ging dem fließenden Verkehr an, obwohl mein Gewissen mich ständig mit der Frage plagte, was denn passieren würde, wenn ich in eine Radarfalle geraten würde?

Bei Isthmia verlor ich den Blick aufs Meer, es ging ein wenig ins Landesinnere. Kurz nach Korinthos erstreckte sich nun der Golf von Korinthos auf meiner rechten Seite. Die Fahrt ging durch eine landschaftlich wunderschöne Gegend. Doch ich hatte kaum Gelegenheit sie mir anzusehen. Ständig überholten mich Autos, auch an Stellen, wo ich niemals überholen würde – die Griechen taten es dennoch!

Ungefähr sechzig Kilometer vor Patra hängte sich ein Lastwagen an meine Stoßstange. Er fuhr so eng auf, das mich ein ungutes Gefühl beschlich. Mit der Lichthupe drängelnd nötigte er mich zum schneller Fahren. Als ich mit einhundert Stundenkilometern durch eine Baustelle jagte, in der die Geschwindigkeitsbegrenzung auf fünfzig beschränkt war, fragte ich mich, ob der da hinter mir noch alle Tassen im Schrank hatte. Bei der nächsten Gelegenheit scherte ich rechts aus und ließ ihn überholen.

Die Hintertüre seines Sattelschleppers trug die Aufschrift „Sea Wulf". Ich fragte mich, ob dieser Seewolf noch ganz sauber im Kopf war, denn er raste ohne Rücksichtsnahme über die Autobahn, die seit ein paar Kilometern keine mehr war.

An der nächsten Steigung war dann Ende seiner Herrlichkeit. Der schwere Sattelzug kam kaum den Berg hinauf. Also setzte ich zum Überholen an, um ihm zu zeigen, wo der „Bartl den Most holt". Solange es bergauf ging, hatte ich gute Karten, denn da schaffte er es kaum mir zu folgen. Sobald es aber bergab ging, „gab er Gummi" und hing auch schon wieder an meiner Stoßstange. Wir trieben dieses Spielchen bis kurz vor Patra. Ich war ziemlich schnell unterwegs gewesen, trotz der Geschwindigkeitsbegrenzungen. Auf der ganzen Strecke zwischen Athen und Patra hatte ich aber weder eine Radarfalle, noch einen Polizeiwagen gesehen.

Im Grunde musste ich jetzt diesem Trottel von Lastwagenfahrer auch noch dankbar dafür sein, dass er

mich so durch die Baustellen gejagt hatte. Es war halb
zwei, als ich die Ausfahrt zum Hafen in Patras vor
mir sah. Doch ein paar Kilometer weiter bemerkte
ich, dass die Straße mich über eine Art San Franzisko
Brücke, die „Rio-Antirrio Bridge" auf die andere
Seite der Bucht führen wollte. Diesen Weg war ich auf
keinen Fall gekommen. Glücklicherweise gab es vor
der Brücke noch eine Ausfahrt, die ins Zentrum von
Patras führte. Einen Kilometer später konnte ich eine
weitere Ausfahrt entdecken, die den Weg zum Hafen
anzeigte.

Pünktlichst um 13:40 Uhr fuhr ich in die Hafenanlage
von Patra ein. Nur, hier kam mir überhaupt nichts
bekannt vor. An diesem Ort war ich vorher in meinem
Leben noch nie gewesen, dessen war ich mir sicher.
Es war ein riesiger Hafen, voll mit Containerschiffen.
Am gegenüberliegenden Kai lagen auch Fähren vor
Anker, aber die sahen etwas anders aus, als die, mit
der ich gekommen war.

„Ja so eine Scheiße!", ging es mir durch den Kopf.
„War ich überhaupt in Patra?"

Auf der gegenüberliegenden Straßenseite sah ich
einen älteren Herrn, der seinen Müll in die dafür auf-
gestellten Container entsorgte. Ich fuhr zu ihm hinüber und fragte, ob er Englisch sprach. „Ein wenig",
sagte auch er zu mir, so wie viele andere Griechen vor
ihm.

Das wenig Englisch, welches er sprach reichte aus,
um mir zu erklären, dass es noch einen zweiten Hafen
in Patra gab. Von dort aus gingen die Fähren nach

Italien. Er zeigte mir die Richtung und sagte mir, dass ich zum Zentrum fahren sollte.

Das leuchtete mir zunächst nicht ein, denn schließlich lag ein Hafen immer am Meer und nicht im Zentrum einer Stadt. Es als ich auf der Beschilderung sah, dass es zum Hafen geradeaus ging, war ich mir sicher, dass er wollte, dass ich genau geradeaus, also zentral, auf dieser Straße bleiben sollte – Englisch einmal ein wenig anders.

Nach fast fünf Kilometern erblickte ich den anderen Hafen zu meiner Rechten. Ich erkannte sofort das Terminal wieder, an dem ich das Auto bekommen hatte. Und auch der Angestellte des Autoverleihers wartete dort bereits auf mich. Um 13:48 Uhr parkte ich das Auto neben ihm: „Warten Sie schon lange?"

„Nein, drei Minuten", gab er mir zur Antwort und deutete auf die ausgemachte Abgabezeit von 13:45 Uhr. Dazu lachte er und ich wusste, dass er wegen der 3 Minuten Verspätung kein weiteres Geld von mir nehmen würde.

Er fragte, ob alles in Ordnung war. Ich bestätigte ihm, dass wir mit dem kleinen dunkelblauen VW Polo mit Klimaanlage, äußerst zufrieden waren. Nach einer kurzen Verabschiedung begab ich mich in das Hafengebäude, während er mit einem Auto, dessen Tank etwa viertel voll war, von dannen fuhr.

Per sms gab ich Angela Bescheid, dass ich es wieder einmal auf die Minute geschaffte hatte.

Das Auto war abgegeben und ich stand in der Emfangshalle des Hafengebäudes, wo ich mir meine

Schiffsfahrkarte besorgen wollte.

Sie simste mir zurück, dass sie am Meer lag und die schöne Landschaft und das super Wetter genoss. Ein wenig vermisste sie mich schon, obwohl ich erst drei Stunden von ihr getrennt war.

28 Patra - Bari

In den Reiseunterlagen, die in Deutschland bekommen hatte, stand, dass der „Last-Check-In" um 14:00 Uhr wäre, obwohl die Fähre erst um 18:00 Uhr auslaufen würde.

Aber hier erging es mir genauso wie vor 17 Tagen in Bari. Es war alles ein wenig anders, wie bei uns daheim angenommen. Ich bekam meine Bordkarte, den Kabinenschlüssel und die Auskunft, dass ich erst ab 16:00 Uhr an Bord durfte. Das bedeutete für mich, dass ich zwei Stunden lang im Hafengebäude warten musste.

Zunächst setzte ich mich in der Wartehalle auf eine der Bänke und beobachtete das Treiben im Terminal. Immer wieder kamen irgendwelche Menschen vorbei und drückten mir Werbung in die Hand. Nach knapp einer Stunde Wartezeit, hatte ich eine ganze Handvoll Zeitschriften, Flyer oder Reklamezettel bekommen, mit denen ich nichts anfangen konnte.

Ich redete mir ein, dass ich dieses ganze Zeug ja eigentlich nicht haben wollte, also brauchte ich mich nicht um seine Entsorgung zu kümmern.

Es blieb einfach auf der Bank liegen, während ich mich in den ersten Stock des Gebäudes begab, wo sich ein Restaurant mit Dachterrasse befand. Ich bestellte mir einen Kaffee mit Kuchen. Von der Terrasse aus waren die Fähren zu sehen. Dort herrschte schon reges Treiben, denn man war dabei, die Autos, Busse und Lastwagen zu verladen.

Um sechszehn Uhr machte ich mich auf den Weg zum Schiff. Zunächst musste ich durch eine Kontrolle, bei der mein Gepäck durchleuchtet wurde. Irgendetwas schien dem einen Beamten nicht an meinem Foto im Ausweis zu gefallen. Er fragte zunächst, ob ich Franzose sei, obwohl er meinen deutschen Ausweis in Händen hielt. Dann holte er einen Kollegen herbei, welcher sein „OK" gab, sodass ich durch die Absperrung durfte.

Ich fragte die Beamten, ob sie mich nun für hübsch genug hielten, um mit dem Schiff fahren zu dürfen - doch das verstanden sie irgendwie nicht.

Ein Shuttlebus brachte die Passagiere zum Schiff. Bevor wir die Gangway hoch durften, wurden unsere Fahrkarten noch einmal kontrolliert. Die Gäste mit Kabine wurden einen anderen Weg geleitet, als die, die keine Kabine hatten.

Oben in der Rezeption des Schiffes angekommen, wurde uns ein Stewart zur Seite gestellt, der unsere Koffer in die Kabinen brachte. 6028A, stand auf meinem Schlüssel, also ähnlich wie auf der Hinfahrt. Der Stewart wies mir mein Bett zu und wollte mir noch einige Dinge erklären. Ich bedankte mich bei ihm und sagte, dass ich bereits ein erfahrener Fährenpassagier sei und alles wichtige wüsste. Also verließ er die Kabine, ohne nach einem Trinkgeld zu fragen. Bis 18:00 Uhr waren es immer noch zwei Stunden. Ich nutzte die Gelegenheit um zu duschen. Obwohl ich nur drei Stunden durch die griechische Hitze gefahren war, klebte der Schweiß an mir. Es war mir egal, wie klein die Dusche in der Kabine war, das Wasser tat einfach gut.

Von den anderen Mitbewohnern der Kabine, hatte sich bisher noch keiner eingefunden, also konnte ich in Ruhe mein Gepäck verstauen. Die Dinge, die mir wichtig erschienen steckte ich in meine Hosentaschen, um sie am Körper zu tragen. Gut, wenn mir der Koffer gestohlen worden wäre, dann hätte ich sicherlich nicht darüber lachen können. Aber nun trug ich Ausweis, Geld, Fahrkarten, Fotoapparat und MP3-Player bei mir.

Ich ging noch an Deck, um das Treiben im Hafen zu beobachten. Es war immer wieder beeindruckend, wie viele Fahrzeuge in diese riesigen Fähren passten.

Wie auf der Hinfahrt kamen auch hier die Durchsagen für die Passagiere durch diese krächzenden Lautsprecher an Bord. Gegen halb sechs forderte man die Gäste auf, das Schiff zu verlassen, da es demnächst ablegen würde. Pünktlich um 18:00 Uhr liefen wir aus dem Hafen in Patra aus. In der Ferne konnte ich noch einmal die wunderschöne „Rio-Antirrio Bridge" sehen, die sich über den Golf von Patra spannte und als das Tor zum Golf von Korinthos galt.

Ich hatte nun eine Seereise von fünfzehneinhalb Stunden vor mir, denn wir würden erst morgen früh um 9:30 Uhr in Bari ankommen.

Da ich noch nicht so müde war, wie auf der Hinreise, wo ich bereits eine sechszehnstündige Busfahrt hinter mir hatte, bevor ich die Fähre betrat, ging es nun darum, den Abend herum zu bringen.

Eine Bootsfahrt ist nämlich eine recht eintönige Geschichte. Man kann zwar an Bord spazieren gehen, oder im Casino ein paar Euros verlieren, aber sonst...? Da ich noch nie ein Spieler war, ließ ich es auch dieses Mal sein. Ich setzte mich zunächst an Bord, aber da war es recht zügig, sodass ich mich ins Restaurant setzte, um ein Bier zu trinken. Draußen zog sich etwas zusammen. Das Wetter schien umzuschlagen. Ich lümmelte mich in einen Sessel, hörte Musik über meinen MP3-Spieler und beobachtete die Menschen, die sich allesamt etwas zu langweilen schienen.

Dann fiel mir ein, dass ich für Angela vielleicht einen kleinen Ring oder ähnliches kaufen könnte. Doch die Sachen, die im Bordladen angeboten wurden, waren viel zu teuer für mich. Also beließ ich es bei dem Versuch, ein Andenken kaufen zu wollen, ging zurück ins Restaurant, wo ich noch ein Bier bestellte.

Draußen wurde es dunkel, es hatte zudem begonnen zu regnen. Und so kam es, dass immer mehr Passagiere, die keinen Kabinenplatz hatten und im Freien schlafen wollten, ins Innere des Schiffs drängten. Sie versuchten Plätze für die Nacht zu finden, denn mittlerweile war der Regen sehr stark geworden, sodass an eine Übernachtung an Bord nicht mehr zu denken war.

Sie breiteten sich in den Gängen aus. Einige kamen ins Lokal, wo sie auf den Sitzbänken schlafen wollten. Zunächst versuchte der Oberkellner sie davon abzuhalten, aber es wurden immer mehr, sodass er es schließlich aufgab. Irgendwie verlor das Restaurant dadurch seinen Charme und ich beschloss mich in die Koje zu hauen.

In der Zwischenzeit waren auch meine drei Mitbewohner im Bett. Ich legte mich also in das mit dem Buchstaben „A" gekennzeichnete Bett und schlief auch sehr gut ein. Die Biere, die ich getrunken hatte, entpuppten sich als gutes Schlafmittel.

Irgendwann in der Nacht erwachte ich. Die See musste nun ziemlich unruhig sein. Die Fähre schaukelte ziemlich stark. Ich merkte, das ich auf hoher See war, doch die Müdigkeit übermannte mich, sodass ich sofort wieder einschlief.

Kurz vor neun Uhr morgens erwachte ich, und dachte, dass wir kurz vor Bari sein müssten. Die drei anderen Mitbewohner waren schon ausgeflogen, sodass ich die Kabine wieder alleine für mich hatte. Ich nahm noch einmal eine Dusche und begab mich ins Restaurant, um zu frühstücken. Dort erfuhr ich, dass wir eine gute Stunde Verspätung hatten, denn die nächtliche Überfahrt war nicht so verlaufen, wie man es sich vorgestellt hatte. Die unruhige See war für die Verspätung verantwortlich. Draußen war alles grau in grau, aber es hatte zu regnen aufgehört, sodass die Rucksacktouristen das Restaurant geräumt hatten und sich auf dem Dreck aufhielten.

Dann konnten wir am Horizont Bari erkennen. Das Wetter wurde nun wieder etwas besser, sodass ich mich auch an Bord begab. Kurz bevor wir in den Hafen einliefen, konnte ich sehen, wie ein Motorboot seitlich an uns andockte und ein Lotse auf die Fähre kam.

Auf meiner Uhr, welche ich der griechischen Zeit angepasst hatte, war es 10:20 Uhr als wir in Bari im Hafen vor Anker gingen. Also hatte die Überfahrt fast siebzehn Stunden gedauert.

Als wir die Fähre verließen, kamen wir in ein wahres Chaos. Zu gleicher Zeit fuhren die Pkw, die Busse und die Lastwagen von der Fähre. Zwischen drinnen hielten sich ein paar Passagiere auf, die als Fußgänger vom Schiff kamen. Es gab keinen Shuttle-Bus, obwohl einer angekündigt war. Also gingen wir zu Fuß über den großen Platz im Hafen von Bari, um an das Eingangsgebäude zu gelangen.

Vor dem Terminal standen einige Busse und Taxis. Ich entschloss mich, wie auf der Hinfahrt, ein Taxi zu nehmen. Nach einer kurzen Fahrt und einem Fahrpreis von 20 Euro, ließ mich der Taxifahrer um kurz vor elf, direkt an der Haltestelle meines Fernbusses aussteigen.

Der Bus würde an diesem Samstag Mittag, den 13. September um 13:00 Uhr in Richtung München abfahren. Ich musste also zwei Stunden warten, bis er kam.

Das Stadtviertel, in dem sich die Bushaltestelle befand, machten keinen vertrauenserweckenden Eindruck. Gleich nachdem ich aus dem Taxi ausgestiegen war, pumpte mich ein Passant wegen einer Zigarette an. Ich versicherte ihm, dass ich Nichtraucher war und so ging er weiter.

Gegenüber der Bushaltestelle konnte ich nun ein kleines Cafe erblicken, vor welches ich mich hinsetzte. Als nach ein paar Minuten immer noch kein Kellner zu mir kam, ging ich in den Laden, um einen Espresso zu bestellen. Irgendwie verstand ich den Verkäufer, dass das hier keine Bar war, sondern ein Kaffeegeschäft. Es gab keine Tasse Kaffee zu kaufen – aber ein Kilo davon hätte er schon für mich.

Ich winkte ab und bedankte mich. Er rief mir noch nach, das zwei Häuser weiter eine kleine Bar war, in der ich Espresso trinken konnte. Ich weiß nicht, wieso ich das alles, trotz meiner geringen Italienischkenntnisse verstand, aber irgendwie funktionierte das sehr gut.

Als ich das Cafe betrat, fiel mein Blick sofort auf eine Wanduhr, die kurz nach zehn anzeigte, also eine Stunde früher, wie meine Armbanduhr. Ich fragte den Kellner, wie viel Uhr es denn nun wirklich in Italien war. Er deute zu seiner Wanduhr und begriff wohl sofort, dass ich aus Griechenland kam, wo die Zeit schon eine Stunde weiter war.

„So ein Mist!", jetzt musste ich keine zwei, sondern drei Stunden auf meinen Bus warten: "Na super!" Irgendwo auf dem 15. Längengrad hatte mir jemand die eine Stunde, die er mir auf der Hinreise geklaut hatte, wieder untergejubelt. Also war ich doch 57 Stunden in Richtung Osten unterwegs gewesen, oder? Ich verbrachte die gesamten drei Stunden in dem kleinen Bistro, da ich mich hier irgendwie sicher fühlte. Es kamen Gäste herein, tranken einen Kaffee und verschwanden wieder. Vor dem Laden lümmelte ein italienischer Gigolo herum, der immer, wenn eine hübsche Frau vorbei ließ, dem Barkeeper so etwas wie „Bella donna!" zurief und diese typische Handbewegung, die wohl „Ola la" bedeutete, hinterher schickte. Ich dachte bei mir, dass wenn er sich eine bessere Frisur zulegen und diese schleimig wirkende Kleidung ablegen würde, er wahrscheinlich eine dieser hübschen Frau bekommen könnte, anstatt ihnen nur gierig hinterher zu schauen.

In der Zwischenzeit fühlte ich mich hier richtig heimisch. Die ständig wechselnden Gäste schienen alles Stammkunden zu sein. Sie hatten ihren Spaß und ich merkte, dass es so ähnlich wie bei mir zuhause war. Man kannte sich eben und alles war gut.

Während der Wartezeit hatte ich einen Espresso, einen Capuccino, zwei Crousants mit Nutella und eine Flasche Mineralwasser verzehrt. Als der Kellner mir dafür 5 Euro berechnete, dachte ich, dass er entweder nicht rechnen konnte, oder aber, dass man mit solchen Preisen nicht unbedingt reich werden konnte.

Um viertel vor eins verließ ich die Bar und musste nicht lange auf den Bus warten. Knapp zehn Minuten später fuhr er vor. Er war wieder genauso voll, wie der auf meiner Hinreise. Der Fahrer verstaute mein Gepäck und antwortete mir auf meine Frage, ob ich umsteigen müsste: „No, un' autobus diretto Monaco!" Was soviel hieß wie: „Nein, nur ein Autobus direkt nach München!"

Das beruhigte mich sehr, hatte ich auf der Hinfahrt

doch fast das Umsteigen verpasst. Außerdem war ich sehr entspannt, da ich in München keinen Anschluszug erreichen musste, es fuhren mehrere Züge von München aus in Richtung Kempten.

Im Bus fand ich einen Sitzplatz neben einem älteren Herren. Kurz nach 13:00 Uhr fuhr der Fernbus ziemlich pünktlich von Bari ab, obwohl sich einige Fahrgäste darüber beschwerten, weil sie nicht neben ihren Partner sitzen konnten. Aber es gab nun mal keine nummerierten Plätze.

29 Bari - München

Es war immer noch heiß in Süditalien.
Der Bus war wieder gerammelt voll und so saßen
wir wie die Ölsardinen darin. Mein Sitznachbar gab
sich gleich als Deutscher zu erkennen und erzählte
mir, dass er schon öfters diesen Bus genommen hatte.
Er war in Rente und sein Segelboot lag in der Nähe
von Brindisi am Meer. In ein paar Wochen werde er
wieder zurück nach Italien fahren, um den Winter dort
zu verbringen. Er konnte ein wenig mehr italienisch
als ich, denn schließlich hielt er sich wochenlang hier
auf.
Vom Meer war jetzt nichts mehr zu sehen. Die Autobahn schlängelte sich ein wenig landeinwärts nach
Foggia, wo Reisende aus- bzw. zustiegen. Dann ging
es weiter auf der A14 in Richtung Pescara. Kurz vor
San Severo teilte der Beifahrer uns etwas mit. Da er
ziemlich schnell sprach, so wie das Italiener eben tun,
verstand ich zunächst nicht, worum es ging. Mein
Sitznachbar erklärte mir, dass es irgendwelche Probleme mit der Hydraulik am Bus gab. Wir würden in
San Severo eine Werkstatt anfahren, um nachsehen zu
lassen, ob der Schaden zu beheben war.
Das war er nicht. Aus den Gesten der Mechaniker war
schnell und deutlich zu erkennen, dass sie die Repara-
tur nicht in kürzester Zeit durchführen konnten.
Doch wir hatten Glück im Unglück, denn es stellte
sich heraus, dass die Werkstatt, in der wir waren, zu
dem Busunternehmen gehörte, mit dem wir gerade

unterwegs waren. Also wurde hinter der Halle ein älterer Reisebus heraus gezogen und wir mussten umsteigen. Ein älterer Reisebus bedeutete in diesem Fall, noch etwas weniger Platz zwischen den Sitzreihen, eine etwas schlechtere Klimaanlage im gesamten Bus und ein wenig durchgesessene Sitzplätze, denen man ansah, dass sie schon ein paar Tage auf dem Buckel hatten.

Wie hatte der Busfahrer doch gleich gesagt: „ Nur ein Bus direkt nach München...".

Nun gut, er konnte zwar nichts für diese Panne, aber irgendwie dachte ich: „Ja, typisch italienisch!"

Typisch italienisch, sollte es aber jetzt erst werden: Ein Fahrgast, welcher bisher, getrennt von seiner Frau, im vorderen Teil des Busses saß, erdreistete sich, den Platz neben seiner Frau im hintern Teil des Busses einzunehmen. Damit brachte er die gesamte Sitzordnung durcheinander. Der Vertriebene weigerte sich, nach vorne zu gehen, um dort Platz zu nehmen. Und so begann eine heiße italienische Diskussion, wie wir sie aus Filmen kannten. Mit Händen und Füßen wurde hier argumentiert und schon bald nahmen fast alle Fahrgäste an diesem hitzigen Gespräch teil.

Wir hatten zwar schon Zeit durch diese Panne verloren, aber dass schien hier niemanden zu interessieren. Mein Sitznachbar und ich nahmen es gelassen und erfreuten uns an soviel Lebenslust!

Der, welcher nun neben seiner Frau saß, sagte zu dem, der jetzt vorne sitzen sollte, dass er sich nicht so blöd anstellen solle, schließlich stieg das Ehepaar an der übernächsten Haltestelle wieder aus. Also konnte er seinen Platz dann wieder einnehmen – nur: die übernächste Haltestelle war Bologna und das lag noch gut fünfhundert Kilometer von hier entfernt.

Erst als der Busfahrer ein Machtwort gesprochen hatte, konnte die Fahrt fortgesetzt werden – noch einmal kurz durchgezählt, ob auch alle Passagiere an Bord waren, quälte sich der alte Bus vom Hof der Werkstatt.

Um Termoli herum konnten wir wieder die Adria sehen, an dessen Küste sich die Autobahn entlang zog. Trotz der Panne hielten die Fahrer ihre Pausenzeiten ein und es gab alle zweiundeinhalb Stunden eine Pause von zwanzig Minuten.

Weil ich auf der Hinfahrt so gut aufgepasst hatte, bekam ich nun in den Restaurants, was ich wollte. Auf dem ersten Rastplatz erblickte ich gleich, dass man sich zuerst einen Bon holen musste, bevor man zur Kaffeetheke ging. Und so konnte ich meinen Espresso in aller Ruhe trinken, bevor es wieder zurück in die Sardinendose ging.

In Pescara stiegen wieder Fahrgäste aus, bzw. zu. Somit blieb der Bus ständig gleichmäßig gerammelt voll. Wir hatten nun schon mehr als vier Stunden Busfahrt hinter uns, wenn man die Unterbrechung dazu zählte. Die Luft wurde immer stickiger, da der Oldtimer keine richtige Klimaanlage hatte.

Draußen kühlte es etwas ab, was im Bus aber keinesfalls zu spüren war.

Ich schwitzte so sehr, dass mir schier die Arschbakken zusammenklebten. Während der gelegentlichen Stopps versuchte ich mich in den Raststätten Toiletten zu erfrischen, was aber nur bedingt gelang.

Bei einem Stopp hinter Pescara, kaufte ich mir zwei Dosen Bier, um meine Gelassenheit noch ein wenig gelassener werden zu lassen. Die Reiseroute führte uns durch Ancona und Rimini, bevor es weiter nach Bologna ging.

An einem Anstieg kurz vor Bologna, bei dem, der Bus doch reichlich arbeiten musste, um dort hoch zu kommen, kamen mir Zweifel, ob er es wirklich über den Brenner schaffen würde. Doch kaum hatte ich darüber nachgedacht, erklärte der Beifahrer wieder etwas übers Mikrofon. Mein Sitznachbar übersetze mir, dass wir in Bologna abermals den Bus wechseln müssten, da dieser hier, nicht für Deutschland zugelassen wäre. Die Umweltauflagen würden eine Einreise verhindern.

Einen kurzen Gedanken daran, was dieser Oldtimer denn noch für Kriterien nicht erfüllte, ließ ich gar nicht aufkommen, denn schließlich hatte er uns die gut fünfhundert Kilometer von San Severo bis Bologna transportiert.

Wir stiegen also ein zweites Mal um, was mich veranlasste scherzhaft den Fahrer zu fragen, ob wir denn noch einmal umsteigen müssten. Noch bevor er sagen konnte: „No, un' autobus diretto Monaco!" bemerkte er, dass ich ihn ein wenig hochnahm und begann zu lachen!

Draußen war es dunkel geworden und ich bildete mir ein, nach dem Konsum der beiden Bierdosen besser in den Schlaf zu finden. Die Zeit ging gegen 21:00 Uhr, draußen gab es nichts mehr zu sehen und drinnen, wurde es nun etwas ruhiger, weil alle Fahrgäste müde wurden.

Ich legte den MP3-Player an und versuchte vor mich hin zu dösen. Aber ich konnte keine Stellung finden, in welcher ich etwas Schlaf erhaschen konnte, ohne, das mir gleich mein Kreuz oder das Genick weh tat.

Vorbei an Modena, Verona, Trento und Bozen rasten wir dem Brennerpaß entgegen.

Der dritte Bus, mit dem wir nun unterwegs waren, schien noch ziemlich neu zu sein. Hier funktionierte wieder alles sehr gut und wir hatten auch ein wenig mehr Platz zwischen den Sitzen, was aber keinesfalls zum Schlafen reichte.

An Schlafen konnte ich in diesem Moment eh nicht denken, weil der Fahrer den Bus dermaßen den Brenner hinauf peitschte, dass uns kein anderes Auto überholen konnte. Ich dachte noch, wie wird das bloß, wenn er auf der anderen Seite den Brenner hinunter jagte, denn ganz wohl war es mir jetzt nicht mehr. Nach einer kurzen Pause am Brennerpass, wo es schon empfindlich kalt war, erlöste mich das Einsetzen von Regen von meinen Ängsten, den Brenner im Formel 1 Tempo hinunter fahren zu müssen. Es begann sehr heftig zu regnen, was den Fahrer tatsächlich dazu zwang, langsamer zu fahren. Er passte nun die Geschwindigkeit den nassen Straßenverhältnissen an, während er hinunter in Richtung Innsbruck fuhr, hatten wir nun bereits gute dreizehn Stunden im Bus verbracht.

Morgens gegen vier Uhr ließen wir Innsbruck hinter uns. Immer wieder knickte mein Kopf vor Müdigkeit nach vorne. Doch so richtig schlafen konnten ich nicht. Mein Nebensitzer kauerte auch sehr unbequem auf seinem Fensterplatz, aber auch er wachte immer wieder auf.

Es hatte sich nun eingeregnet. Die letzten Kilometer nach München fuhren wir ausschließlich im Regen. Das machte dem Fahrer nichts aus, er raste wieder mit hoher Geschwindigkeit auf der Autobahn dahin. An Kufstein und Rosenheim ging es vorbei, als sich plötzlich sechs weitere Fernbusse zu uns gesellten. Nun gaben sie alle Gas, sodass sich eine Art Rennen entwickelte. Jetzt, in den Morgenstunden fuhr Fernbus an Fernbus. Es schien als ob jeder als erster in München sein wollte.

Trotz Panne und mehrmaligem Umsteigen erreichten wir den Zentralenomnibusbahnhof in München pünktlich um sieben Uhr morgens - nach sechszehn Stunden Busfahrt.

Total müde, verschwitzt und verklebt stieg ich aus dem Bus und schaute mich zunächst einmal nach einem Lokal um, wo es Kaffee gab.

Eine Bäckerei im Bahnhofzentrum hatte bereits geöffnet. Dort herrschte schon Hochbetrieb, da sehr viele Fernbusse zu dieser Zeit München erreichte.
Ich fand einen ruhigen Platz unterm Dach, schaute dem Regen zu, trank Kaffee und überlegte, wie es nun weitergehen könnte.

30 München - Augsburg

Die Busreise war doch sehr anstrengend gewesen.
Außerdem hatte ich den Drang nach einer Dusche. So
kam mir der Gedanke, dass ich nicht den Zug direkt
von München nach Kempten nehmen, sondern einen
kleinen Abstecher nach Augsburg machen könnte, wo
meine Tochter wohnte. Bestimmt würde sie sich über
einen Blitzbesuch ihres Vaters freuen.

Also setzte ich mich in die S-Bahn zum Münchner
Hauptbahnhof, um mir eine Fahrkarte nach Augsburg
zu lösen. Da es noch früh am Sonntagmorgen, dem
14. September war, hielten sich noch nicht sehr viel
Reisende am Bahnhof auf. Ich betrat das Servicecen-
ter der Deutschen Bundesbahn, um mich zu erkundi-
gen, ob es ginge, dass ich einen kleinen Umweg nach
Augsburg machen wollte, obwohl ich nur eine Fahrkarte direkt nach Kempten hatte.

Vor keinem der beiden Auskunftsschalter standen
Leute. Ich war im Moment der einzige Reisende,
welcher eine Auskunft wollte. Also trat ich vor den
Schalter. „Hier bekommen sie keine Auskunft, wenn
sie keine Nummer gezogen haben!", unterrichtete
mich die Bahnhofsangestellte sofort, ohne so irgendetwas wie „Guten Morgen" gesagt zu haben.

„Aber Hallo, was sollte denn dieser Scheiß?", ich war
weit und breit der einzigste Kunde.

Da ich noch viel zu müde war, mich mit dieser
dummen Nuss herum zu streiten, zog ich also die
gewünschte Nummer N1066 am Automaten, der fast

zehn Meter vom Schalter entfernt war.

Dann reihte ich mich in die nicht vorhandenen Schlange vor dem Schalter ein und wartete im allgemeinen Gedränge bis ich aufgerufen wurde.

Es dauerte nun fast fünf Minuten, bis meine Nummer auf dem Display erschien und ich vortreten durfte: „Wie doof sind wir hier eigentlich in Deutschland!", schoss es mir durch den Kopf.

Mein Ärger ebnete ab, als sie mir sagte, dass ich nur knapp fünf Euro für den Umweg über Augsburg nachbezahlen musste. Also zahlte ich, ging zum Bahnsteig, der gleich gegenüber lag und wartete gut zwanzig Minuten, bis der Zug einfuhr.

Nach etwa einer dreiviertel Stunde erreichte ich den Bahnhof von Augsburg. Ich war die letzten Stunden genug Bus und Zug gefahren, sodass ich mir ein Taxi nahm, um zu meiner Tochter zu gelangen. Die war gerade aufgestanden und freute sich riesig über meinen Besuch. Am Bahnhof hatte ich noch ein paar Brötchen mitgenommen, sodass wir zusammen essen konnte.

Während sie den Kaffee kochte und den Tisch eindeckte, konnte ich in aller Ruhe eine Dusche nehmen und fühlte mich danach wunderbar erfrischt! Nun kam auch ihr kleiner Sohn aus dem Bett gekrabbelt und wir frühstückten in aller Ruhe und in neuer, alter Frische. Da sie am Nachmittag zu einem Geburtstag eingeladen war, entschloss ich mich den Zug um halb zwölf von Augsburg nach Kempten zu nehmen. Gemeinsam gingen wir zum Bahnhof, wo wir noch einen Kaffe tranken und dann verabschiedete ich mich bei den beiden, um die vorletzte Etappe meiner rund 5000 Kilometer langen Reise anzutreten.

31 Augsburg - Isny

Ich musste an Angela denken, die jetzt noch ein letztes Mal im fast zweitausendzweihundert Kilometern entfernten Porto Rafti, im Golf von Petalii, zum Schwimmen ging.

Die Bahnfahrt verlief ruhig und der Zug fuhr pünktlich um 12:45 Uhr in Kempten ein. So war auch das geschafft. Jetzt musste ich nur noch die letzten dreißig Kilometer nach Isny bewältigen, um wieder zuhause zu sein. Doch das erwies sich als großes Problem.

Der nächste Bus von Kempten nach Isny fuhr um 17:12 Uhr, was für mich eine Wartezeit von viereinhalb Stunden bedeutete. Das wollte ich mir nach den ganzen Strapazen nicht antun und rief einen Freund an, der mich mit dem Auto abholte.

Um fast genau 15:00 Uhr traf ich nach einer dreiundfünfzigstündigen Reise in Isny ein.

Oder war ich nur zweiundfünfzig Stunden unterwegs gewesen. Das war mir aber eigentlich so breitengradig wie längengradig.

Ich war froh, gesund und munter wieder zuhause zu sein, während Angela gerade ihre Koffer packte.

Ihr Flug von Athen aus, ging um 19:10 Uhr griechischer Zeit. Sie nahm, so erzählte sie später, um 16:30 Uhr ganz entspannt das Taxi, welches sie in knapp zwanzig Minuten zum Flughafen brachte. Die Maschine startete pünktlich und landete um 20:45 Uhr in München, wo sie vom Zubringerservice abgeholt und zu ihrem Auto gebracht wurde.

32 ...wieder zuhause

Zu diesem Zeitpunkt, saß ich schon mit meinen
Stammtischschwestern und –brüdern, die so sehr
bei dieser Reise mitgefiebert hatten, in unserer Lieb-
lingspizzeria bei Wein und Bier.
Wir tranken auf das gute Gelingen von „Jürgens
Abenteuer", während wir auf Angela warteten, die um
23:30 Uhr, nach einer Reise von sieben oder sechs (?)
Stunden, ziemlich ausgeruht, in Isny eintraf.
Die spannende Frage, die unsere Freunde zu stellen
wussten war: „Würdest du das noch mal so machen,
oder würdest du das nächste mal doch lieber fliegen?"
„Nun", war meine Antwort: „Wenn jemand unter
Flugangst leidet, dann ist das sicherlich eine Alternative. Mir gefiel es aber auch deshalb besser, weil ich
näher bei den Menschen war.
Ob im Bus oder auf der Fähre, man konnte sich immer
entspannt unterhalten. Zu keinem Zeitpunkt der Reise
hatte ich so ein verkrampftes Gefühl, wie ich es
immer in einem Flugzeug gehabt hatte. Natürlich, die
Überfahrt nach Bari war schon ein wenig spannend,
aber der Seegang war jetzt nicht so enorm, dass ich
Angst bekommen hätte. Aber, wer weiß, wie das aus-
sähe, wenn die Fähre in wirklich schwere See geriet?"
Daran wollte ich eigentlich nicht denken.
Und wieder kam die Diskussion auf den Punkt, dass
Fliegen das sicherste Verkehrsmittel sei. Mit ein
wenig Pech, hätte meine Autofahrt auf Griechen-ands
Straßen auch anders ausgehen können, wurde ange-

merkt. Das war wohl wahr.

Doch am Ende der Diskussion stand wie immer der Gedanke, das wenn jemanden etwas passieren soll, dann passiert es eben, egal, ob am Boden, zu Wasser oder in der Luft. Wenn das Schicksal zuschlägt und deine Zeit gekommen ist, dann ist sie nun mal gekommen.

Das Spannende dabei ist allerdings, wann sie kommt. Das kann dir niemand sagen und so wäre es eigentlich logisch, dass man auch Fliegen könnte, in dem Bewusstsein, das einem solange nichts passiert, wie die Zeit auf Erden anhält.

Aber davor habe ich immer noch einen großen Respekt, wenngleich die Reisezeit mit dem Flugzeug nur ein neuntel von meiner Reisezeit betrug.

Das Abenteuer Griechenland war auf alle Fälle supertoll – ich würde es noch einmal machen, so war ich mir zumindest an diesem Abend sicher!

33 Nachbetrachtung

Seit meiner Reise sind nun knapp vier Monate vergangen.

Entsetzt sehe ich die Bilder der brennenden griechischen Fähre, die von Igoumenitsa nach Ancona unterwegs war. Einige Passagiere sind bei diesem Unglück ums Leben gekommen – viele nicht.

Ich bin mir nicht mehr sicher, ob meine Reise wirklich eine Alternative zum Fliegen war.

Und es drängt sich die Frage auf, nach welchem Kriterium eine höhere Macht vorgeht, um Leben zu nehmen oder nicht.

Ich werde es nicht ergründen können.

Das Leben bleibt lebensgefährlich!

Und trotz dieses Wissens, denke ich, dass ich mich in kein Flugzeug mehr setzen werde – so ist das nun einmal bei einem Flugangsthasen!

Entschuldigung:

An dieser Stelle pflege ich mich bei meinen Lesern
wegen der vielen Rechtschreib- und Grammatikfehler
zu entschuldigen.
Dies werde ich dieses mal nicht tun, da es angeblich
sehr verbreitet ist, dass aus unterschiedlichen Gründen
auf ein Lektorat verzichtet wird - auch bei Zeitschriften oder Tageszeitungen.
Und wenn die das können, dann kann ich das auch,
dachte ich mir.

Manchmal kann man ja ruhig mal mit der Zeit
gehen..?

Über den Autor

Während des Versuchs einen staatlich angeordneten Schicksalsschlag (seine Entsorgung als Vater) in Form eines Buches (Mördermacher) zu verarbeiten, fand der Hobbyautor Gefallen an der Schreiberei.

War das erste Buch für einige seiner Leser etwas heftig zu lesen, besann er sich auf sein eigentliches Naturell, nämlich heitere Sachen zu beschreiben.

In seinem richtigen Leben arbeitet der 61-jährige als Konstrukteur und technischer Illustrator im Maschinenbau.

Inhaltsverzeichnis

Lightning Source UK Ltd.
Milton Keynes UK
UKHW020736250920
370514UK00015B/1749